P9-BIR-865

Robert HORVILLE
Docteur ès Lettres
Professeur à l'Université de Lille III

MOLIÈRE
et la comédie en France au XVIIe siècle

Textes, commentaires et guides d'analyse

FERNAND NATHAN

Molière en acteur tragique, dans le rôle de César, de *La Mort de Pompée* (Corneille).

LA PLACE DE MOLIÈRE DANS LA COMÉDIE DE SON TEMPS

La variété de la comédie au XVIIᵉ siècle (1610-1673).

Lorsque l'on parle de la comédie au XVIIᵉ siècle, un nom, Molière, vient immédiatement sur les lèvres, un mot, classicisme, se présente sur-le-champ à l'esprit. La réalité n'est évidemment pas aussi simple. Molière ne surgit pas, né d'on ne sait quelle génération spontanée. Le classicisme, notion par ailleurs bien vague, est loin d'avoir l'exclusivité : durant au moins la première partie du XVIIᵉ siècle, il doit concéder le terrain théâtral à d'autres courants ; à l'époque même où il s'affirme, il voit encore sa suprématie contestée par des types d'écriture différents — Molière est-il un écrivain classique ou non ? voilà par exemple une question à laquelle il n'est guère facile de répondre —.

Ce recueil de textes a pour ambition de montrer cette pluralité, voire cette ambiguïté. Il s'efforcera de le faire en tentant de dégager les différents rouages qui composent le mécanisme de la comédie de ce temps. Le groupement des textes deux par deux, à raison d'un texte de Molière et d'un texte d'un prédécesseur ou d'un contemporain, permettra d'autre part de souligner le jeu des ressemblances et des différences, des continuités et des ruptures. Les dates retenues se justifient aisément : 1673, c'est la mort de Molière, dramaturge autour duquel est construit ce recueil ; 1610, c'est la mort d'Henri IV, repère important dans le passage de la Renaissance au préclassicisme.

Si l'on envisage le déroulement de cette période, une constatation s'impose pour ce qui concerne l'importance du genre comique qui nous intéresse ici. La comédie, enfoncée au début du siècle dans une profonde léthargie, va progressivement s'éveiller, pour devenir le genre dominant. Si l'on divise en effet ces soixante-quatre années en unités d'une vingtaine d'années chacune, l'on constate que de 1610 à 1630 il est publié 11 comédies sur un total de 164 pièces de théâtre, soit 6,70 %. De 1631 à 1651, le chiffre atteint 68 sur un total de 375, soit 18,13 %. De 1652 à 1673, il se monte à 174 sur 336, soit 51,78 %. Cette évolution ne fera que se confirmer par la suite, puisque, de 1674 à 1694, 183 comédies seront éditées, sur un total de 272 œuvres de théâtre, ce qui représente le pourcentage élevé de 67,27 %. Ces chiffres sont éloquents : ils montrent et le développement de la production théâtrale en un siècle qui se pose ainsi comme le siècle du théâtre par excellence en France, et le rôle joué par Molière dans l'affirmation du genre comique.

Le genre comique... Il n'est pas possible d'écrire ces mots sans en préciser le sens. La comédie au XVIIe siècle répond à un certain nombre de règles. Elles sont, pour la plupart, formelles et ne permettent donc guère de dégager l'essence du registre comique. Pièce pouvant avoir parfois un déroulement marqué par une certaine tension, mais devant avoir une fin heureuse, la comédie met en scène des personnages issus de la bourgeoisie ou du peuple, voire des nobles, à condition que ne soient pas évoquées, dans le fil de l'action, des responsabilités politiques. Voilà qui est bien vague. En fait, les théoriciens de l'époque ne parlent guère de la condition essentielle qui différencie le ton comique du ton tragique. Dans la comédie, les obstacles aux personnages « positifs » doivent être marqués par la faiblesse, de telle manière que ne plane pas sur la scène l'inéluctabilité du malheur, source obligatoire d'inquiétude pour le spectateur. Cette imprécision explique l'ambiguïté d'atmosphère qui règne dans bon nombre d'œuvres théâtrales de l'époque : combien de pièces, même lorsque s'imposera la règle de la séparation des genres, ont été appelées comédies par leurs auteurs qui sont en fait des tragi-comédies déguisées ? L'exemple du *Dom Juan*, voire du *Tartuffe* ou du *Misanthrope* de Molière, est significatif à cet égard. Inversement, un certain nombre de tragi-comédies pourraient facilement être considérées comme des comédies. Face à cette confusion, nous n'avons retenu que les pièces désignées nommément par ceux qui les ont conçues comme des comédies. Mais nous aurons l'occasion d'indiquer les mélanges d'écritures qui interviennent si fréquemment.

La comédie avant Molière.

Comme les textes présentés dans ce recueil le seront sans que soit respecté l'ordre chronologique, il est bon de faire un rapide panorama de la période envisagée. De 1610 à 1630 environ, règne la comédie d'intrigue, adaptation de la manière italienne, genre à l'action complexe, aux nombreux rebondissements, à la peinture des caractères reposant essentiellement sur l'évocation de personnages pittoresques aux ridicules hauts en couleurs : Pierre de Larivey, avec *Le Fidèle* ou *La Constance* publiés en 1611, s'y illustra particulièrement. De 1630 à 1650, c'est la période de recherches : la comédie d'intrigue à l'italienne continue sa carrière, cultivée notamment par Jean Rotrou, avec *Clarice* (1641). Mais conjointement se fait sentir l'influence espagnole qui apporte sa note de romanesque, son esprit tragi-comique : Jean Mairet, avec *Les Galanteries du duc d'Ossonne* (1632), Pierre Corneille, avec *L'Illusion comique* (1635) ou *Le Menteur* (1643), et surtout, le maître du burlesque, Paul Scarron, avec *Dom Japhet d'Arménie* (1647), s'engagent sur cette voie nouvelle. Parallèlement enfin, s'affirme une manière plus soucieuse de finesse psychologique, avec Pierre Du Ryer et *Les Vendanges de Suresnes* (1633), Pierre Corneille et *Mélite* (1629), ou Antoine Mareschal et *Le Railleur* (1635).

La carrière de Molière

Voilà quelles sont les données théâtrales, lorsqu'apparaît Molière. Ce n'est pas le lieu ici d'entrer dans les détails de sa biographie. Mais il semble utile de dégager rapidement les grandes évolutions de sa carrière. Né en 1622, il a vingt et un ans lorsqu'il entame sa vie aventureuse de comédien ambulant qui lui fournira à la fois l'expérience théâtrale et l'occasion d'observer ses semblables. Après une expérience parisienne malheureuse (1643-1645), il sillonnera la province, jusqu'en 1658, donnant, pour l'essentiel, des pièces qui ne sont pas de sa composition. Tout au plus s'essayera-t-il dans le genre de la farce, registre issu de la tradition médiévale certainement pratiqué sans discontinuité tout au long des XVIe et XVIIe siècles, mais dont il nous est resté bien peu de traces écrites : et ce sera *Le Médecin volant* ou *La Jalousie du Barbouillé*. Son installation dans un théâtre permanent à Paris en 1658 ne modifie pas profondément sa manière : *Sganarelle, ou Le Cocu imaginaire* (1660) n'est pas avare de gros effets. 1662-1666 constitue certainement la période la plus riche et la plus originale de sa production. Tout en continuant la tradition de la comédie d'intrigue à l'italienne, avec *Le Mariage forcé* (1664) ou *L'Amour médecin* (1665), encore par ailleurs fortement relevés de l'épice de la farce, il cultive la comédie romanesque avec *La Princesse d'Elide* (1664). Mais surtout, il met au point la comédie pamphlet, avec *La Critique de l'Ecole des femmes* et *L'Impromptu de Versailles* (1663) où il répond aux attaques dirigées contre lui, et crée la comédie « politique » qui introduit toute une dimension sociale, en posant les problèmes des rapports de pouvoir : et c'est *Tartuffe* (1664), *Dom Juan* (1665), *Le Misanthrope* (1666). L'interdiction de *Tartuffe*, puis de *Dom Juan*, explique l'abandon par Molière de ce type d'inspiration qui s'était révélé bien dangereux. Désormais, jusqu'à sa mort, il va pratiquer une manière beaucoup plus anodine, donnant dans la farce, avec *Les Fourberies de Scapin* (1671), dans la comédie d'intrigue, avec *Monsieur de Pourceaugnac* (1669) ou dans la comédie ballet, avec *Le Sicilien, ou l'Amour peintre* (1667), se contentant au mieux d'une peinture acérée des caractères, avec *L'Avare* (1668), *Les Femmes savantes* (1672) ou *Le Malade imaginaire* (1673), sa dernière œuvre.

Les auteurs comiques contemporains de Molière.

Et ses contemporains ? S'ils ne pratiquent guère la comédie « politique », cet apport essentiel de Molière, ils manient toute la panoplie du genre comique : la comédie d'intrigue à l'italienne, comme Savinien Cyrano de Bergerac dans *Le Pédant joué* (1646) ; la comédie de caractères, voire de mœurs, comme Philippe Quinault dans *La Mère coquette* (1665) ; la comédie romanesque, comme Gillet de la Tessonnerie dans *Le Campagnard* (1656) ; la comédie pamphlet, comme Jean Donneau de Visé dans *La Vengeance des marquis* (1663) ; la comédie ballet, comme Jean de La Fontaine dans *Les Rieurs de Beau-Richard* (1659) ; la farce, comme Brécourt dans *Le Jaloux invisible* (1666).

Une représentation théâtrale au début du XVIIe siècle : notez la présence des spectateurs sur la scène, et la technique du décor multiple, en perspective.

LE SCHÉMA
DE LA COMÉDIE D'INTRIGUE
A L'ITALIENNE

Molière apparaît donc comme l'aboutissement de toute une tradition française qu'il porte à son point de perfection. Mais cette tradition est elle-même tributaire d'influences étrangères. La plupart des comédies qui s'écrivent en France tout au long du XVIIᵉ siècle suivent le schéma italien de la comédie d'intrigue tel qu'il s'est dégagé au XVIᵉ siècle à partir des modèles antiques. Même les œuvres comiques qui privilégient l'analyse des mœurs ou des caractères et celles qui affirment des prétentions « politiques » adoptent dans leur grande majorité un tel type de fonctionnement. En fait seule la comédie pamphlet, comme *La Critique de l'École des femmes* ou *L'Impromptu de Versailles*, deux pièces de Molière, échappent globalement à cette règle. Mais il s'agit d'un genre théâtral tout à fait particulier qui s'apparente plutôt à la satire.

Le succès d'une telle organisation n'est pas surprenant. Elle possède en effet de grandes vertus théâtrales : elle pose un rapport de forces et est ainsi créatrice de dynamisme ; elle suscite les revirements et est ainsi source de surprise et d'intérêt pour le spectateur. Bref, elle est éminemment « commerciale », et donc particulièrement heureuse pour un type de production littéraire dont la finalité est le spectacle, activité qui, il ne faut pas l'oublier, recherche, quelle que soit l'époque, la rentabilité.

Au centre de ce schéma prend place le couple du jeune premier et de la jeune première : ils sont beaux, ils s'aiment et ont donc toute la sympathie du public qui souhaite leur bonheur. Leur désir le plus cher, c'est le mariage, consécration sociale de leur amour. Mais des obstacles s'y opposent : ce sont les parents qui ne veulent pas de cette union, parce qu'ils ont en vue des partis qui leur conviennent mieux ou parce que, fait plus rare, ils sont eux-mêmes épris de l'objet de la passion de leur enfant. Leur résistance pourrait contribuer à tendre l'action. Heureusement, ce sont, la plupart du temps, des êtres faibles et ridicules : malgré la réalité de leur pouvoir parental, ils ne sont donc guère dangereux. Dans le même camp, prennent place le gendre ou la belle-fille souhaités par le père de famille, rivaux des personnages sympathiques, qu'il est également facile de rabaisser en les affublant de manies diverses, par ailleurs sources de comique.

Dès lors, l'action se déroule selon un processus immuable : toute la pièce repose sur les efforts du jeune premier et de la jeune première pour déjouer les plans des fâcheux, pour braver les interdits familiaux et faire triompher leurs vues. Mais ils sont encore dans la fleur de l'âge et n'ont donc guère d'expérience. C'est ce qui explique leur indécision, voire leur aboulie. Heureusement, ils ont des alliés : ce peuvent être des parents ou des amis. Ce sont surtout les serviteurs qui donnent un rythme à la pièce. Soubrettes rusées ou valets industrieux, ils savent rabrouer leur maître ou leur maîtresse trop enclins à la démission et trouver les subterfuges qui permettront la réussite, en provoquant des revirements bien plaisants pour le spectateur. Le camp des personnages sympathiques connaîtra finalement le succès en un dénouement où seront évoqués le ou les mariages imminents. Les obstacles seront défaits ; mais cette défaite ne pourra en aucun cas, si la tonalité comique est bien respectée, susciter la pitié de la part des spectateurs, l'auteur ayant pris soin de rendre les personnages « négatifs » suffisamment ridicules, voire odieux.

Un valet de comédie :
Jodelet.

1. Les amours contrariées

Les amours contrariées constituent le point de départ du schéma de la comédie d'intrigue à l'italienne. Dans la pièce de Molière, Monsieur de Pourceaugnac *(1669), Julie et Eraste s'aiment. Mais le père de la jeune fille, Oronte, la destine à Monsieur de Pourceaugnac. Avec l'aide de Nérine, « femme d'intrigue » et de Sbrigani, « homme d'intrigue », qui joueront au prétendant toute une série de mauvais tours pour le déconsidérer, les deux amoureux parviendront à convaincre Oronte de consentir au mariage.*

Le sujet de la pièce de Quinault, La Mère coquette ou Les amants brouillés *(1665), est plus complexe : Isabelle, aimée d'Acante, suscite également la passion du père du jeune homme, Crémante. De son côté, la mère d'Isabelle, Ismène, aime Acante et, avertie de la mort de son mari, projette de l'épouser. Après des rebondissements provoqués par la jalousie d'Acante et d'Isabelle, le coup de théâtre du retour du mari va permettre le dénouement heureux du mariage. Outre* La Mère coquette, *on peut citer deux autres comédies de Quinault,* L'Amant indiscret *(1654) et* La Comédie sans comédie *(1655). Philippe Quinault (1635-1688) est surtout connu comme le fondateur, avec Lully, de l'opéra français.*

Si les deux œuvres dont suivent les extraits ont en commun le souci de description des caractères, la situation des personnages sympathiques apparaît sensiblement différente : alors que, dans la pièce de Molière, l'accord règne entre Julie et Eraste, dans la pièce de Quinault, la méfiance sépare Isabelle et Acante, malgré les efforts des serviteurs Laurette et Champagne.

Monsieur de Pourceaugnac

JULIE. — Mon Dieu ! Eraste, gardons d'être surpris ; je tremble qu'on ne nous voie ensemble, et tout serait perdu, après la défense que l'on m'a faite.

ÉRASTE. — Je regarde de tous côtés, et je n'aperçois rien.

5 JULIE. — Aie l'œil au guet[1], Nérine, et prends bien garde qu'il ne vienne personne.

NÉRINE. — Reposez-vous sur moi, et dites hardiment ce que vous avez à vous dire.

JULIE. — Avez-vous imaginé pour notre affaire quelque chose de favorable ? et croyez-vous, Éraste, pouvoir venir à bout de détourner ce fâcheux
10 mariage que mon père s'est mis en tête ?

ÉRASTE. — Au moins y travaillons-nous fortement ; et déjà nous avons préparé un bon nombre de batteries pour renverser ce dessein ridicule.

NÉRINE. — Par ma foi ! Voilà votre père.

15 JULIE. — Ah ! séparons-nous vite.

NÉRINE. — Non, non, non, ne bougez : je m'étais trompée.

JULIE. — Mon Dieu ! Nérine, que tu es sotte de nous donner de ces frayeurs !*

ÉRASTE. — Oui, belle Julie, nous avons dressé pour cela quantité de machi-
20 nes, et nous ne feignons point de mettre tout en usage, sur la permission que vous m'avez donnée. Ne nous demandez point tous les ressorts que nous ferons jouer : vous en aurez le divertissement ; et, comme aux comé-dies, il est bon de vous laisser le plaisir de la surprise, et de ne vous avertir point de tout ce qu'on vous fera voir. C'est assez de vous dire que nous
25 avons en main divers stratagèmes tous prêts à produire dans l'occasion, et que l'ingénieuse Nérine et l'adroit Sbrigani entreprennent l'affaire.

NÉRINE. — Assurément. Votre père se moque-t-il de vouloir vous anger²
de son avocat de Limoges, Monsieur de Pourceaugnac, qu'il n'a vu de sa vie, et qui vient par le coche vous enlever à notre barbe ? Faut-il que trois
30 ou quatre mille écus de plus, sur la parole de votre oncle, lui fassent reje-ter un amant qui vous agrée ? et une personne comme vous est-elle faite pour un Limosin ? S'il a envie de se marier, que ne prend-il une Limosine et ne laisse-t-il en repos les chrétiens ? Le seul nom de Monsieur de Pour-ceaugnac m'a mis dans une colère effroyable. J'enrage de Monsieur de
35 Pourceaugnac. Quand il n'y aurait que ce nom-là, Monsieur de Pourceau-gnac, j'y brûlerai mes livres³, ou je romprai ce mariage, et vous ne serez point Madame de Pourceaugnac. Pourceaugnac ! cela se peut-il souffrir ? Non : Pourceaugnac est une chose que je ne saurais supporter ; et nous lui jouerons tant de pièces, nous lui ferons tant de niches sur niches, que
40 nous renverrons à Limoges Monsieur de Pourceaugnac.

ÉRASTE. — Voilà notre subtil Napolitain, qui nous dira des nouvelles.

Molière, *Monsieur de Pourceaugnac*, Acte I, scène 1.

1. Aux aguets. — 2. Affubler d'une engeance ; embarrasser. — 3. Je viendrai à bout de cette affaire.

* Dans ce passage, l'auteur introduit un procédé scénique fréquent au XVIIᵉ siècle : les personnages qui s'entretiennent craignent l'arrivée d'un intrus. Voilà qui crée un effet de tension et qui suscite des mouvements de scène plaisants provoqués par la nécessité de la surveillance.

La Mère coquette

ACANTE. — Moi! que j'aime une ingrate, une inconstante fille!...
Mais est-elle en sa chambre?

LAURETTE. —   Oui, monsieur, qui s'habille;
Un homme y vient d'entrer.

ACANTE. —   Qui?

LAURETTE. —   Qui vous craint fort peu,
Beau, jeune.

ACANTE. —   Et c'est?

LAURETTE. —   Déjà vous voilà tout en feu;
5   Il n'a que soixante ans; c'est monsieur votre père.

ACANTE. — Mon père! hé! que fait-il?

LAURETTE. —   Hé! que pourrait-il faire?
Courbé sur son bâton, le bon petit vieillard
Tousse, crache, se mouche et fait le goguenard[1],
De contes du vieux temps étourdit Isabelle :
10   C'est tout ce que je crois qu'il peut faire auprès d'elle.

ACANTE. — Crois-tu qu'elle aime ailleurs?

CHAMPAGNE. —   Là, dis.

LAURETTE. —   Je le crois bien;
Mais pour dire qui c'est, monsieur, je n'en fais rien.

CHAMPAGNE. — Serait-ce point...

ACANTE. —   Qui donc?

CHAMPAGNE. —   Attendez que j'y pense.
Le marquis?

ACANTE. —   Mon cousin? j'y vois peu d'apparence.

15   LAURETTE. — Il est vrai : ce cousin, respect la parenté[2],
Est un jeune étourdi, bouffi de vanité,
Qui cache, dans le faste et sous l'énorme enflure
D'une grosse perruque et d'une garniture[3],
Le plus badin marquis qui vit jamais le jour;
20   Et pour tout dire enfin, un sot suivant la cour.

CHAMPAGNE. — N'importe; il est marquis; c'est ainsi qu'on le nomme;
Et ce titre, parfois, rajuste bien un homme.

ACANTE.   — Ah! si c'était pour lui... Non; je ne le crois pas;
     Isabelle n'a point des sentiments si bas;
25   Quelque juste dépit qui contre elle m'aigrisse,
     Je ne saurais lui faire encor cette injustice.
     Mais si je connaissais mon rival trop heureux...

LAURETTE.   — Ah! vous êtes, monsieur, encor bien amoureux.

ACANTE.   — Non; je ne veux plus l'être après un tel outrage.

30 LAURETTE.   — Quand on l'est malgré soi, on l'est bien davantage :
     On ne m'y trompe pas; je m'y connais trop bien.

ACANTE.   — Hélas! que l'orgueilleuse, au moins, n'en sache rien!
     Si l'ingrate qu'elle est connaissait ma tendresse,
     Elle triompherait encor de ma faiblesse.

35 LAURETTE.   — Vraiment! sans lui rien dire, elle en triomphe assez,
     Et vous raille en secret plus que vous ne pensez;
     Elle ne croit que trop que vous l'aimez encore.

ACANTE.   — L'ingrate me méprise et croit que je l'adore.
     Dis-lui qu'elle s'abuse; oui, mais dis-lui si bien...

40 LAURETTE.   — Ma foi, j'aurais beau dire, elle n'en croira rien;
     Elle tient votre cœur trop bien sous son empire.

ACANTE.   — Je l'empêcherai bien de m'en oser dédire;
     Ce cœur, ce lâche cœur...

Quinault, *La Mère coquette*, Acte 1, scène 2.

---

1. Railleur, plaisantin. — **2.** Expression populaire qui correspond approximativement à l'expression actuelle «sauf votre respect» — **3.** Ornement, parure.

La succession rapide des répliques de cette scène permet à la fois de rendre compte de la conversation quotidienne et de créer un jeu scénique vif, porteur de dynamisme.

Guide d'analyse

1. Deux scènes d'exposition : elles ont pour fonction de fournir des renseignements sur la situation avant l'ouverture de l'action. On pourra comparer les techniques utilisées et faire un relevé des données ainsi fournies.

2. Relevez les termes qui montrent, d'une part, l'entente de Julie et d'Eraste et, d'autre part, le désaccord d'Isabelle et d'Acante.

3. Quels sont les éléments qui montrent l'importance de Nérine, d'une part, de Laurette et Champagne de l'autre, dans la conduite de l'intrigue à venir ?

4. Les personnages obstacles sont rapidement évoqués, mais on peut, dès maintenant, dresser une liste de leurs ridicules déjà suggérés.

Jacques Charon et Geneviève Casile dans *Monsieur de Pourceaugnac* (Comédie française, 1961).

2. L'opposition parentale

L'opposition au mariage souhaité par la jeune première et le jeune premier vient, la plupart du temps, des parents, dans la majorité des cas du père, dont le pouvoir sur la famille est, au XVIIᵉ siècle, encore considérable. Dans L'Amour médecin (1665), Sganarelle, pour ne pas avoir à payer de dot, s'oppose à ce que sa fille Lucinde épouse celui qu'elle aime, Clitandre. A la suite de ce refus, elle feint de tomber gravement malade. Le père consulte des médecins, ce qui donne lieu à des épisodes pleins de truculence. Parmi eux, Clitandre déguisé parvient à persuader Sganarelle que Lucinde souffre de ne pas être mariée : il propose donc au père de faire semblant de la lui donner en mariage. Le père accepte, mais c'est un vrai contrat qui est signé.

*Dans Le Fils supposé (1634), Luciane aime Oronte. Mais son père Rosandre lui destine Philante, fils de son ami Almédor. Philante, de son côté, aime Bélise, étroitement surveillée par son frère Clorian. Après bien des rebondissements romanesques, Luciane épousera Oronte et Bélise Philante. Dans cette comédie, **Georges de Scudéry** (1601-1667) est fortement influencé par la manière espagnole. Sa production théâtrale est surtout constituée de tragi-comédies fertiles en péripéties : Le Fils supposé est en fait très proche de cette inspiration. Scudéry est resté célèbre pour son intervention durant la querelle du Cid qui l'opposa à Corneille. Il est par ailleurs l'auteur, avec sa sœur Madeleine de Scudéry, de romans-fleuves se déroulant durant l'antiquité, notamment du Grand Cyrus, œuvre monumentale de 13 095 pages (1648-1653).*

Dans ce passage de L'Amour médecin, la suivante Lisette et Lucinde dénoncent la tyrannie de Sganarelle qui tente de se justifier. Dans l'extrait du Fils supposé, Rosandre oppose au désir de sa fille l'autorité paternelle, après avoir habilement montré qu'elle ment, lorsqu'elle prétend qu'elle refuse d'épouser Philante pour ne pas quitter son père.

L'Amour médecin

Scène 4. LISETTE, LUCINDE

LISETTE. — On dit bien vrai : qu'il n'y a point de pires sourds que ceux qui ne veulent point entendre.

LUCINDE. — Hé bien ! Lisette, j'avais tort de cacher mon déplaisir, et je n'avais qu'à parler pour avoir tout ce que je souhaitais de mon père ! Tu
5 le vois.

LISETTE. — Par ma foi ! voilà un vilain homme ; et je vous avoue que j'aurais un plaisir extrême à lui jouer quelque tour. Mais d'où vient donc, Madame, que jusqu'ici vous m'avez caché votre mal ?

LUCINDE. — Hélas! de quoi m'aurait servi de te le découvrir plus tôt! et
10 n'aurais-je pas autant gagné à le tenir caché toute ma vie? Crois-tu que je
n'aie pas bien prévu tout ce que tu vois maintenant, que je ne susse pas à
fond tous les sentiments de mon père, et que le refus qu'il a fait porter à
celui qui m'a demandée par un ami, n'ait pas étouffé dans mon âme toute
sorte d'espoir?

15 LISETTE. — Quoi? c'est cet inconnu qui vous a fait demander, pour qui
vous...

LUCINDE. — Peut-être n'est-il pas honnête à une fille de s'expliquer si librement; mais enfin je t'avoue que, s'il m'était permis de vouloir quelque
chose, ce serait lui que je voudrais. Nous n'avons eu ensemble aucune
20 conversation, et sa bouche ne m'a point déclaré la passion qu'il a pour
moi; mais, dans tous les lieux où il m'a pu voir, ses regards et ses actions
m'ont toujours parlé si tendrement, et la demande qu'il a fait faire de moi
m'a paru d'un si honnête homme, que mon cœur n'a pu s'empêcher
d'être sensible à ses ardeurs; et cependant tu vois où la dureté de mon
25 père réduit toute cette tendresse.*

LISETTE. — Allez, laissez-moi faire. Quelque sujet que j'aie de me plaindre
de vous du secret que vous m'avez fait, je ne veux pas laisser de¹ servir
votre amour; et pourvu que vous ayez assez de résolution...

LUCINDE. — Mais que veux-tu que je fasse contre l'autorité d'un père? Et
30 s'il est inexorable à mes vœux...

LISETTE. — Allez, allez, il ne faut pas se laisser mener comme un oison², et
pourvu que l'honneur n'y soit pas offensé, on peut se libérer un peu de la
tyrannie d'un père. Que prétend-il que vous fassiez? N'êtes-vous pas en
âge d'être mariée? et croit-il que vous soyez de marbre? Allez, encore un
35 coup, je veux servir votre passion; je prends, dès à présent, sur moi tout
le soin de ses intérêts, et vous verrez que je sais des détours... Mais je vois
votre père. Rentrons, et me laissez agir.

Scène 5. SAGNARELLE.

SGANARELLE. — Il est bon quelquefois de ne point faire semblant d'entendre les choses qu'on n'entend que trop bien; et j'ai fait sagement de parer
40 la déclaration d'un désir que je ne suis pas résolu de contenter. A-t-on
jamais rien vu de plus tyrannique que cette coutume où l'on veut assujettir les pères? rien de plus impertinent et de plus ridicule que d'amasser du
bien avec de grands travaux, et élever une fille avec beaucoup de soin et

de tendresse, pour se dépouiller de l'un et de l'autre entre les mains d'un
45 homme qui ne nous touche de rien ? Non, non : je me moque de cet
usage, et je veux garder mon bien et ma fille pour moi.

Molière, L'Amour médecin, Acte I, scènes 4 et 5.

---

1. Cesser de. — **2.** Petit de l'oie ; désigne une personne très crédule, facile à mener.

> * Ce passage constitue un exemple de l'ambiguïté de l'écriture comique au XVIIᵉ siè-
> cle : l'ampleur de la réplique, le sérieux de l'expression, la profondeur des sentiments
> avoués, le pathétique de la situation sont en fait de nature tragi-comique.

Le Fils supposé

ROSANDRE. — Votre bonté paraît dedans cette aventure ;
Et nous suivons tous deux la loi de la nature :
Vous m'aimez, je vous aime ; et joints par ce lien,
Vous cherchez mon repos, je cherche votre bien.
5 Mais ma fille, sachez que je serais barbare,
Si j'osais abuser d'une amitié si rare ;
Et si, loin de rester aux termes du devoir,
Je bornais votre joie à celle de me voir.
Non, non, résolvez-vous de finir mon attente ;
10 Je serai trop content, si vous êtes contente ;
Et pourvu que le Ciel conserve vos plaisirs,
Je mourrai sans douleur, et vivrai sans désirs.
La raison nous attaque, et nous devons nous rendre ;
Je vous dois un mari, vous me devez un gendre,
15 Et bien que l'amitié tâche de nous trahir,
Je vous dois commander, vous devez m'obéir.
Mais dedans cet état, plein d'heur[1] et d'innocence,
Nous ne souffrirons point la rigueur d'une absence,
Le père de Philante étant bien résolu
20 De demeurer ici comme je l'ai voulu ;
Sa volonté sans fard s'est peinte en son langage ;
Il mourra dans Paris, j'en ai sa foi pour gage.

LUCIANE. — Mais, après tout, Monsieur, son fils m'est inconnu (...).
Ici l'obéissance excède mon pouvoir ;
25 Le croyez-vous un Dieu, pour l'aimer sans le voir ?

ROSANDRE. — Ce (...) raisonnement me doit être suspect ;
Il commence à sortir des bornes du respect.

LUCIANE. — C'est que dans mon esprit la douleur est plus forte.

ROSANDRE. — Voyons-le, cet esprit ; plaignez-vous, il n'importe ;
30   Confessez librement qu'Oronte en est vainqueur.

LUCIANE. — Je ne puis plus parler, vous me blessez au cœur.

ROSANDRE. — Et c'est en vous taisant que parlent vos pensées ;
Mais vous les enfermez comme des insensées.

LUCIANE. — Je ne l'ai jamais vu que par votre pouvoir.

35 ROSANDRE. — Et le même aujourd'hui vous défend de le voir.
O dangereux esprit ! serpent couvert de roses,
Qui cache son venin dans les plus belles choses,
Et qui d'un masque feint de l'amour paternel,
Tâche de déguiser un amour criminel :
40   Mais en vain l'artifice a pensé me surprendre ;
J'ai bien vu qu'on aimait Oronte, et non Rosandre ;
Et que pour obliger mon cœur à la pitié,
Vous soupiriez d'amour et non pas d'amitié.
Mais si vous n'éteignez cette illicite flamme,
45   Qu'un injuste tyran allume dans votre âme,
Si dans votre repos vous ne cherchez le mien ;
Si vous le traversez en fuyant votre bien ;
Si vous vous obstinez contre ce que j'ordonne,
Vous verrez le pouvoir que Nature me donne.*

50 LUCIANE. — On me verra mourir avant que vous fâcher.

ROSANDRE. — Voici ton assassin, fuis-le ; va te cacher.
Oronte, excusez-moi, si mon devoir m'oblige,
A vous faire un discours, dont la fin vous afflige ;
Mais comme les plus francs sont toujours les meilleurs,
55   Prenez d'autres desseins, cherchez fortune ailleurs.
Luciane est promise, et bientôt l'Hyménée [2]
Fera voir clairement à qui je l'ai donnée :
C'est à vous maintenant, malgré la passion,
D'user de cet avis avec discrétion ;
Et de n'aspirer plus après une conquête,
Dont un autre a déjà le laurier sur la tête.

Scudéry, *Le Fils supposé*, Acte I, scène I.

1. Bonheur. — 2. Mariage.

* Rosandre et Luciane jouent ici au chat et à la souris, chacun tentant de piéger l'autre et de voir dans le jeu de son adversaire. Voilà qui annonce la situation de la scène 1 de l'acte II du *Tartuffe* de Molière, qui met aux prises Orgon et sa fille Mariane.

Guide d'analyse

1. L'obstacle du père constitue une donnée de l'exposition. Comme tout élément de cette partie importante d'une pièce de théâtre, il peut être indiqué de façon statique ou, au contraire, en action. Qu'en est-il dans ces deux extraits ?

2. La figure du père est généralement présentée dans la comédie sous un jour négatif. Mais il est des degrés dans la charge. En les dégageant, on déterminera, par voie de conséquence, les différences existant entre les niveaux comiques des deux textes.

3. La décence voudrait que la jeune première ne s'oppose pas à la volonté paternelle et conserve, dans l'expression de ses sentiments, une attitude pleine de réserve. Les deux auteurs respectent-ils ici cette double règle ?

3. Les rivaux

A l'opposition parentale s'ajoute le danger présenté par rivaux et rivales. Souvent, on a pu le constater dans les extraits précédents, ils reçoivent le soutien du père qui voit en eux le gendre ou la belle-fille souhaités. Parfois, les deux obstacles se confondent : c'était le schéma de La Mère coquette *; c'est également celui de* L'Ecole des femmes *(1662) : Arnolphe a élevé Agnès qu'il a recueillie dans l'intention de l'épouser. Il tentera, tout au long de la pièce, de déjouer les plans d'Horace qui aime la jeune fille et est aimé d'elle : il profitera de ce que le jeune homme, ignorant à qui il a à faire, se confie à lui. L'amour évidemment triomphera.*

Parfois enfin, le rival développe une action autonome. C'est ce qui apparaît dans L'Illusion comique *(1635) où Clindor doit affronter, avec succès, deux amoureux d'Isabelle, Matamore et Adraste. L'auteur de cette comédie,* **Pierre Corneille** *(1606-1684), est surtout connu pour son œuvre tragique. Il ne faut pas négliger, pour autant, sa production comique à la fois marquée par le romanesque espagnol (*Le Menteur, *1643) et par la finesse de l'étude des caractères et des mœurs (*Mélite, *1630 ;* La Veuve, *1631).* L'Illusion comique *est remarquable et par le mélange des tons et par le traitement du jeu des apparences et de la réalité : l'action de la pièce est contemplée par le père du héros qui assiste aux événements vécus par son fils, grâce au pouvoir d'un magicien.*

A la scène 4 de l'acte I de L'Ecole des femmes, *Horace confie au malheureux Arnolphe qu'il connaît sous un autre nom ses entreprises amoureuses. A la scène 9 de l'acte III de* L'Illusion comique, *Matamore constate l'amour de son valet Clindor pour Isabelle.*

L'Ecole des femmes

HORACE. — Mais peut-être il n'est pas que vous n'ayez bien vu
Ce jeune astre d'amour de tant d'attraits pourvu :
C'est Agnès qu'on l'appelle.

ARNOLPHE, *à part.*
—   Ah ! je crève !

HORACE. —   Pour l'homme,
C'est, je crois, de la Zousse ou Souche qu'on le nomme :
Je ne me suis pas fort arrêté sur le nom* ;
Riche, à ce qu'on m'a dit, mais des plus sensés, non ;
Et l'on m'en a parlé comme d'un ridicule.
Le connaissez-vous point ?

ARNOLPHE, *à part.*
—   La fâcheuse pilule !

HORACE. — Eh ! vous ne dites mot ?

ARNOLPHE. —   Eh ! oui, je le connais.

HORACE.. — C'est un fou, n'est-ce pas ?

ARNOLPHE. —   Eh...

HORACE. —   Qu'en dites-vous ? Quoi ?
Eh ? c'est-à-dire oui ? Jaloux à faire rire ?
Sot ? Je vois qu'il en est ce que l'on m'a pu dire.
Enfin l'aimable Agnès a su m'assujettir.
C'est un joli bijou, pour ne point vous mentir ;
Et ce serait péché qu'une beauté si rare
Fût laissée au pouvoir de cet homme bizarre.
Pour moi, tous mes efforts, tous mes vœux les plus doux
Vont à m'en rendre maître en dépit du jaloux ;

Et l'argent que de vous j'emprunte avec franchise
20   N'est que pour mettre à bout cette juste entreprise.
Vous savez mieux que moi, quels que soient nos efforts,
Que l'argent est la clef de tous les grands ressorts,
Et que ce doux métal qui frappe tant de têtes,
En amour, comme en guerre, avance les conquêtes.
25   Vous me semblez chagrin : serait-ce qu'en effet
Vous désapprouveriez le dessein que j'aie fait ?

ARNOLPHE. — Non, c'est que je songeais...

HORACE. —   Cet entretien vous lasse :
Adieu. J'irai chez vous tantôt vous rendre grâce.

ARNOLPHE. — Ah ! faut-il... !

HORACE, *revenant.*
—   Derechef[1], veuillez être discret,
30   Et n'allez pas, de grâce, éventer mon secret.

ARNOLPHE. — Que je sens dans mon âme... !

HORACE, *revenant.*
—   Et surtout à mon père,
Qui s'en ferait peut-être un sujet de colère.

Molière, *L'Ecole des femmes*, Acte I, scène 4.

---

1. Une fois encore.

---

* Molière introduit déjà dans *L'Ecole des femmes* le ridicule des prétentions nobiliaires d'une certaine bourgeoisie arriviste. Mais il ne l'exploite ici que dans une perspective dramaturgique, en vue de provoquer la méprise, le quiproquo. Dans *Le Bourgeois gentilhomme*, il en fera au contraire le centre de la pièce, en se livrant à une satire sociale approfondie.

L'Illusion comique

MATAMORE. — Ah ! traître !

CLINDOR. —   Parlez bas ; ces valets...

MATAMORE. —   Eh bien ! quoi ?

CLINDOR. — Ils fondront tout à l'heure et sur vous et sur moi.

MATAMORE *le tire à un coin du théâtre.*

— Viens çà. Tu sais ton crime, et qu'à l'objet que j'aime
Loin de parler pour moi, tu parlais pour toi-même ?

5   CLINDOR. — Oui, pour me rendre heureux j'ai fait quelques efforts.

MATAMORE. — Je te donne le choix de trois ou quatre morts :
Je vais, d'un coup de poing, te briser comme verre,
Ou t'enfoncer tout vif au centre de la terre,
Ou te fendre en dix parts d'un seul coup de revers,
10   Ou te jeter si haut au-dessus des éclairs,
Que tu sois dévoré des feux élémentaires.
Choisis donc promptement, et pense à tes affaires.

CLINDOR. — Vous-même choisissez.

MATAMORE. —   Quel choix proposes-tu ?

CLINDOR. — De fuir en diligence, ou d'être bien battu.

5   MATAMORE. — Me menacer encore ! ah, ventre ! quelle audace !
Au lieu d'être à genoux, et d'implorer ma grâce !...
Il a donné le mot, ces valets vont sortir...
Je m'en vais commander aux mers de t'engloutir.

CLINDOR. — Sans vous chercher si loin un si grand cimetière,
0   Je vous vais, de ce pas, jeter dans la rivière.

MATAMORE. — Ils sont d'intelligence. Ah, tête !

CLINDOR. —   Point de bruit :
J'ai déjà massacré dix hommes cette nuit ;
Et si vous me fâchez, vous en croîtrez le nombre.

MATAMORE. — Cadédiou ! ce coquin a marché dans mon ombre ;
Il s'est fait tout vaillant d'avoir suivi mes pas :
S'il avait du respect, j'en voudrais faire cas.
Ecoute : je suis bon, et ce serait dommage
De priver l'univers d'un homme de courage.
Demande-moi pardon, et cesse par tes feux [1]
De profaner l'objet digne seul de mes vœux ;
Tu connais ma valeur, éprouve ma clémence.

CLINDOR. — Plutôt si votre amour a tant de véhémence,
Faisons deux coups d'épée au nom de sa beauté.

MATAMORE. — Pardieu, tu me ravis de générosité.
Va, pour la conquérir n'use plus d'artifices ;

Je te la veux donner pour prix de tes services :
Plains-toi dorénavant d'avoir un maître ingrat !

CLINDOR. — A ce rare présent, d'aise le cœur me bat.
Protecteur des grands rois, guerrier trop magnanime[2],
40   Puisse tout l'univers bruire de votre estime !

Corneille, *L'Illusion comique*, Acte I, scène 9.

1. Ton amour. — 2. Généreux.

Le comique de cette scène est double. Il repose d'abord sur les mots, et est suscité par le recul progressif de Matamore qui fait ici éclater les contradictions existant entre ce qu'il est et ce qu'il voudrait être. Il est ensuite gestuel, provoqué par les gesticulations et les contorsions du faux brave placé dans une situation intenable.

Guide d'analyse

1. Il convient, afin d'éviter que la comédie ne naufrage dans le drame, de minimiser les dangers que peut faire courir le rival aux personnages sympathiques. Les deux auteurs doivent donc limiter la crédibilité de ces obstacles. Comment y sont-ils parvenus ?

2. A partir de ces deux extraits, vous ferez les portraits d'Arnolphe et de Matamore, en en montrant les ridicules.

3. Comment s'exprime l'amour des deux jeunes premiers pour les deux jeunes premières ? Quels **procédés** sont utilisés pour leur attirer la sympathie des spectateurs ?

4. La dissimulation et les apparences jouent un rôle considérable dans les deux situations. Vous en dégagerez les manifestations.

4. Les serviteurs rusés

Les véritables meneurs de jeu de la comédie d'intrigue à l'italienne, ce sont les servantes et les serviteurs, qui donnent son rythme à la pièce. Prenant résolument en main les intérêts de leur maître ou de leur maîtresse, ils concourent, plus ou moins largement selon l'œuvre considérée, au dénouement heureux. Silvestre, et surtout Scapin, jouent ce rôle dans Les Fourberies de Scapin *(1671) : ainsi, grâce à eux, Octave pourra connaître le bonheur avec Hyacinthe et Léandre avec Zerbinette, après cette révélation romanesque : Hyacinthe est en fait la sœur de Léandre et Zerbinette celle d'Octave, donc les filles des deux pères, Géronte et Argante qui, amis, ne peuvent que se réjouir de ces deux mariages.*

De même, dans Le Pédant joué *(1646), Corbineli facilitera le mariage entre Charlot, fils de Granger, et Genevote également convoitée par le père.* Cyrano de Bergerac *(1619-1655) n'a écrit que cette comédie. Par ailleurs auteur de la tragédie* La Mort d'Agrippine *(1654), il est surtout connu pour son* Histoire comique des Etats et Empires de la Lune *et des* Etats et Empires du Soleil, *romans d'anticipation parus en 1657 et 1662, précurseurs du conte philosophique voltairien.*

Dans les deux extraits qui suivent, les deux valets s'efforcent d'extorquer aux deux pères une importante somme d'argent, en leur faisant croire que leurs fils ont été enlevés par des Turcs. On notera les ressemblances entre les deux passages : il ne fait aucun doute que Molière a largement copié Cyrano. De telles pratiques étaient fréquentes au XVIIe siècle.

Les Fourberies de Scapin

SCAPIN. — C'est à vous, Monsieur, d'aviser promptement aux moyens de sauver des fers un fils que vous aimez avec tant de tendresse.

GÉRONTE. — Que diable allait-il faire dans cette galère ?

SCAPIN. — Il ne songeait pas à ce qui est arrivé.

GÉRONTE. — Va-t-en, Scapin, va-t-en vite dire à ce Turc que je vais envoyer la justice après lui.

SCAPIN. — La justice en pleine mer ! Vous moquez-vous des gens ?

GÉRONTE. — Que diable allait-il faire dans cette galère ?

SCAPIN. — Une méchante destinée conduit quelquefois les personnes.

GÉRONTE. — Il faut, Scapin, il faut que tu fasses ici l'action d'un serviteur fidèle.

SCAPIN. — Quoi, Monsieur ?

GÉRONTE. — Que tu ailles dire à ce Turc qu'il me renvoie mon fils, et que tu te mets à sa place jusqu'à ce que j'aie amassé la somme qu'il demande.

SCAPIN. — Eh ! Monsieur, songez-vous à ce que vous dites ? et vous figurez-vous que ce Turc ait si peu de sens, que d'aller recevoir un misérable comme moi à la place de votre fils ?

GÉRONTE. — Que diable allait-il faire dans cette galère ?

SCAPIN. — Il ne devinait pas ce malheur. Songez, Monsieur, qu'il ne m'a donné que deux heures.

GÉRONTE. — Tu dis qu'il demande...

SCAPIN. — Cinq cents écus.

GÉRONTE. — Cinq cents écus ! N'a-t-il point de conscience ?

SCAPIN. — Vraiment oui, de la conscience à un Turc.

25 GÉRONTE. — Sait-il bien ce que c'est que cinq cents écus ?

SCAPIN. — Oui, Monsieur, il sait que c'est mille cinq cents livres.

GÉRONTE. — Croit-il, le traître, que mille cinq cents livres se trouvent dans le pas d'un cheval ?

SCAPIN. — Ce sont des gens qui n'entendent point de raison.

30 GÉRONTE. — Mais que diable allait-il faire à cette galère ?

SCAPIN. — Il est vrai ; mais quoi ? on ne prévoyait pas les choses. De grâce, Monsieur, dépêchez.

GÉRONTE. — Tiens, voilà la clef de mon armoire.

SCAPIN. — Bon.

35 GÉRONTE. — Tu l'ouvriras.

SCAPIN. — Fort bien.

GÉRONTE. — Tu trouveras une grosse clef du côté gauche, qui est celle de mon grenier.

SCAPIN. — Oui.

40 GÉRONTE. — Tu iras prendre toutes les hardes qui sont dans cette grande manne[1], et tu les vendras aux fripiers, pour aller racheter mon fils.

SCAPIN, *en lui rendant la clef.* — Eh ! Monsieur, rêvez-vous ? Je n'aurais pas cent francs de tout ce que vous dites ; et de plus, vous savez le peu de temps qu'on m'a donné.

45 GÉRONTE. — Mais que diable allait-il faire à cette galère ?

Molière, *Les Fourberies de Scapin*, Acte II, scène 7.

---

1. Grand panier en osier.

Le comique de la scène repose, pour une bonne part, sur la contradiction qui éclate entre l'avarice du père et son désir de sauver son fils : mais ce dernier sentiment est-il sincère ou un simple effet des conventions sociales ?

Le Pédant joué

CORBINELI. — Mais ils ne se sont pas contentés de ceci, ils ont voulu poignarder votre fils...

PAQUIER. — Quoi! sans confession?

CORBINELI. — S'il ne se rachetait par de l'argent.

5 GRANGER. — Ah! les misérables; c'était pour incuter[1] la peur dans cette jeune poitrine.

PAQUIER. — En effet, les Turcs n'ont garde de toucher l'argent des chrétiens, à cause qu'il a une croix.

CORBINELI. — Mon maître ne m'a jamais pu dire autre chose, sinon : va-
10 t-en trouver mon père, et lui dis... Ses larmes aussitôt suffoquant sa parole, m'ont bien mieux expliqué qu'il n'eût su le faire, les tendresses qu'il a pour vous.

GRANGER. — Que diable aller faire aussi dans la galère d'un turc? D'un turc! *Perge*[2].

15 CORBINELI. — Ces écumeurs impitoyables ne me voulaient pas accorder la liberté de vous venir trouver, si je ne me fusse jeté aux genoux du plus apparent d'entr'eux. Hé! monsieur le turc, lui ai-je dit, permettez-moi d'aller avertir son père, qui vous enverra tout à l'heure sa rançon.

GRANGER. — Tu ne devais pas parler de rançon; ils se seront moqués de
20 toi.

CORBINELI. — Au contraire; à ce mot, il a un peu rasséréné sa face. Va, m'a-t-il dit, mais si tu n'es ici de retour dans un moment, j'irai prendre ton maître dans son collège, et vous étranglerai tous trois aux antennes de notre navire. J'avais si peur d'entendre quelque chose de plus fâcheux,
25 ou que le diable ne me vînt emporter étant en la compagnie de ces excommuniés, que je me suis promptement jeté dans un esquif, pour vous avertir des funestes particularités de cette rencontre.

GRANGER. — Que diable aller faire dans la galère d'un Turc?

PAQUIER. — Qui n'a peut-être pas été à confesse depuis dix ans.

30 GRANGER. — Mais penses-tu qu'il soit bien résolu d'aller à Venise?

CORBINELI. — Il ne respire autre chose.

GRANGER. — Le mal n'est donc pas sans remède. Paquier, donne-moi le réceptacle des instruments de l'immortalité, *Scriptorium scilicet*[3].

CORBINELI. — Qu'en désirez-vous faire ?

35 GRANGER. — Ecrire une lettre à ces turcs.

CORBINELI. — Touchant quoi ?

GRANGER. — Qu'ils me renvoient mon fils, parce que j'en ai affaire ; qu'au reste, ils doivent excuser sa jeunesse, qui est sujette à beaucoup de fautes, et que, s'il lui arrive une autre fois de se laisser prendre, je leur promets,
40 foi de docteur, de ne leur en plus obtunder la faculté auditive[4].

CORBINELI. — Ils se moqueront, par ma foi, de vous.

GRANGER. — Va-t-en donc leur dire, de ma part, que je suis tout prêt à leur répondre par devant notaire, que le premier des leurs qui me tombera entre les mains, je le leur renverrai pour rien. (Ah ! que diable, que diable
45 aller faire en cette galère ?) Ou dis-leur qu'autrement je vais m'en plaindre à la justice. Sitôt qu'ils l'auront remis en liberté, ne vous amusez ni l'un ni l'autre, car j'ai affaire de vous.

CORBINELI. — Tout cela s'appelle dormir les yeux ouverts.

GRANGER. — Mon Dieu, faut-il être ruiné à l'âge où je suis ? Va-t-en
50 Paquier, prends le reste du teston que je lui donnai pour la dépense, il n'y a que huit jours. (Aller sans dessein dans une galère !) Prends tout le reliquat de cette pièce. (Ah ! malheureuse géniture, tu me coûtes plus d'or que tu n'es pesant.) Paye la rançon, et ce qui restera, emploie-le aux œuvres pies. (Dans la galère d'un turc !) Bien, va-t-en. (Mais, misérable,
55 dis-moi, que diable allais-tu faire dans cette galère ?) Va prendre dans mes armoires ce pourpoint découpé que quitta feu mon père l'année du grand hiver.

CORBINELI. — A quoi bon ces fariboles ? Vous n'y êtes pas. Il faut tout au moins cent pistoles pour sa rançon.

60 GRANGER. — Cent pistoles ! Ah ! mon fils, ne tient-il qu'à ma vie pour conserver la tienne ? mais cent pistoles ! Corbineli, va-t-en lui dire qu'il se laisse pendre sans dire mot ; cependant qu'il ne s'afflige point, car je les en ferai bien repentir.

Cyrano de Bergerac, Le Pédant joué, Acte II, scène 4.

---

1. Introduire. — 2. Formule latine signifiant : «continue». — 3. «C'est-à-dire ce qui sert à écrire» (latin). — 4. De ne leur en plus fatiguer les oreilles.

> Une partie importante du comique et du ridicule de Granger vient de ses tics professionnels : cet enseignant ne parvient pas, même dans l'existence quotidienne, à se débarrasser de cette expression contaminée par le latin qui était utilisée dans la vie scolaire.

Guide d'analyse

1. Fourbes et dupes. L'histoire inventée par les deux valets apparaît bien peu vraisemblable. Et pourtant, les deux pères y croient. On pourra s'interroger sur les raisons de cette crédulité et sur les moyens utilisés par les serviteurs pour donner à leurs mensonges des apparences de vérité.

2. Deux avares. Les pères hésitent longuement avant de fournir l'argent demandé. Vous essaierez de montrer en quoi les faux-fuyants qu'ils utilisent sont à la fois inefficaces et odieux, et contrastent ainsi avec l'habileté de la stratégie des serviteurs.

3. Ces deux scènes, malgré leur ressemblance, ne sont pas tout à fait conduites de la même manière. Voilà qui amène, en les comparant, à poser la question de **l'efficacité théâtrale**.

5. Le mariage final

La plupart des comédies du XVIIe siècle s'achèvent par un ou plusieurs mariages, dénouement heureux qui vient sanctionner le triomphe des protagonistes positifs, en un final où très souvent paraît la quasi-totalité des personnages, sorte de revue qui permet à l'ensemble des acteurs de figurer une dernière fois sur scène. C'est le parti adopté par Molière dans Tartuffe *(1664) : la mise hors d'état de nuire de l'hypocrite qu'Orgon destinait à sa fille Mariane amène la famille à se réjouir, en attendant le mariage des deux amoureux Mariane et Valère.*

Alizon *(1636) voit la promesse de cinq mariages. Dès l'acte III, les noces entre la vieille Alizon et le vieux Karolu sont décidées, malgré les efforts du rival, le soldat Jérémie. A la dernière scène de la pièce, après que Jérémie s'est consolé en acceptant d'épouser la sœur d'Alizon, quatre unions sont conclues entre les trois filles d'Alizon, Silinde, Clariste et Floriane et trois gentilshommes, Poliandre, Rosélis et Bélange : seule, la différence sociale avait, un moment, constitué un obstacle bien peu solide à ce dénouement heureux. L'auteur de cette comédie, connu sous le pseudonyme plein d'humour de* Discret *(première moitié du XVIIe siècle) a repris, avec Alizon, le type de la vieille courtisane galante issu d'une longue tradition comique.*

Tartuffe

L'EXEMPT.   — Nous vivons sous un prince ennemi de la fraude,
         Un prince dont les yeux se font jour dans les cœurs,
         Et que ne peut tromper tout l'art des imposteurs.

D'un fin discernement sa grande âme pourvue
5   Sur les choses toujours jette une droite vue ;
Chez elle jamais rien ne surprend trop d'accès,
Et sa ferme raison ne tombe en nul excès.
Il donne aux gens de bien une gloire immortelle ;
Mais sans aveuglement il fait briller ce zèle,
10   Et l'amour pour les vrais ne ferme point son cœur
A tout ce que les faux doivent donner d'horreur.
Celui-ci n'était pas pour le pouvoir surprendre,
Et de pièges plus fins on le voit se défendre.
D'abord il a percé, par ses vives clartés,
15   Des replis de son cœur toutes les lâchetés.
Venant vous accuser, il s'est trahi lui-même,
Et par un juste trait de l'équité suprême,
S'est découvert au Prince un fourbe renommé,
Dont sous un autre nom il était informé ;
20   Et c'est un long détail d'actions toutes noires
Dont on pourrait former des volumes d'histoires.
Ce monarque, en un mot, a vers vous[1] détesté
Sa lâche ingratitude et sa déloyauté ;
A ses autres horreurs il a joint cette suite,
25   Et ne m'a jusqu'ici soumis à sa conduite
Que pour voir l'impudence aller jusques au bout,
Et vous faire par lui faire raison de tout.
Oui, de tous vos papiers, dont il se dit le maître,
Il veut qu'entre vos mains je dépouille le traître.
30   D'un souverain pouvoir, il brise les liens
Du contrat qui lui fait un don de tous vos biens,
Et vous pardonne enfin cette offense secrète
Où vous a d'un ami fait tomber la retraite[2] ;
Et c'est le prix qu'il donne au zèle qu'autrefois
35   On vous vit témoigner en appuyant ses droits[3],
Pour montrer que son cœur sait, quand moins on y
                                  [pense,
D'une bonne action verser la récompense,
Que jamais le mérite avec lui ne perd rien,
Et que mieux que du mal il se souvient du bien.

40 DORINE.   — Que le Ciel soit loué !

Mme PERNELLE. —   Maintenant je respire.

ELMIRE.   — Favorable succès !

MARIANE.   —   Qui l'aurait osé dire ?

ORGON, *à Tartuffe.*
    — Hé bien ! te voilà, traître...

CLÉANTE. —
                            Ah ! mon frère, arrêtez,
        Et ne descendez point à des indignités ;
        A son mauvais destin laissez un misérable,
        Et ne vous joignez point au remords qui l'accable
        Souhaitez bien plutôt que son cœur en ce jour
        Au sein de la vertu fasse un heureux retour,
        Qu'il corrige sa vie en détestant son vice
        Et puisse du grand Prince adoucir la justice,
        Tandis qu'à sa bonté vous irez à genoux
        Rendre ce que demande un traitement si doux.*

ORGON. — Oui, c'est bien dit : allons à ses pieds avec joie
        Nous louer des bontés que son cœur nous déploie.
        Puis, acquittés un peu de ce premier devoir,
        Aux justes soins d'un autre il nous faudra pourvoir,
        Et par un doux hymen couronner en Valère
        La flamme d'un amant généreux et sincère.

                        Molière, *Tartuffe*, Acte V, scène 7.

_____
1. (Sa lâche ingratitude et sa déloyauté) envers vous. — **2.** Orgon avait pris en dépôt des papiers compromettants appartenant à un ami. — **3.** Durant la Fronde, Orgon avait été fidèle au roi.

* L'intervention de Cléante est significative de l'ambiguïté de la tonalité de la pièce. Pour éviter une trop forte tension dramatique, la possibilité d'un pardon pour Tartuffe est évoquée, tandis qu'est tué dans l'œuf le thème de la vengeance, qui relève du registre tragi-comique.

Alizon

ALIZON. — Répondez donc, Silinde, à ces Messieurs ici.
        Si vous le voulez bien, nous le voulons aussi.
        La fille rarement refuse d'être femme.

SILINDE. — Il serait malséant[1] que devant vous, Madame,
        Aucune de nous trois entreprît de parler.
        Partout sous votre esprit le nôtre doit aller,
        Et, suivant de vos lois les plus obéissantes,
        Si vous le désirez, nous en serons contentes.

M. KAROLU. — Messieurs, vous l'entendez. Que désirez-vous plus ?
        Pas une maintenant ne fait aucun refus.

> Prenez chacun la vôtre, et, selon vos partages,
> Allons exécuter vos quatre mariages.

POLIANDRE. — Madame, si jamais un parfait amoureux
A eu quelque sujet de s'estimer heureux,
15   Je lui veux disputer une faveur si grande,
Puisqu'en vous possédant j'ai l'heur[2] que je demande.

SILINDE. — Monsieur, assurément vous vous trompez au choix :
Regardez que Silinde est la moindre des trois.
Pourtant, si votre amour désire ma personne,
20   Un absolu pouvoir sur elle je vous donne.

ROSÉLIS. — Je confesse, Madame, avecques vérité,
Que dans vos doux appas gît ma félicité,
Et que, par le bonheur de votre jouissance,
Je serai le phénix[3] des amants de la France.

25 CLARISTE. — Le Ciel vous a pourvu de tant de qualités
Qu'elles m'ont presque ôté toutes mes volontés,
De sorte qu'à présent il ne m'en reste qu'une
Pour selon vos désirs suivre votre fortune.

BÉLANGE. — Madame, puisqu'Amour, comme son favori,
30   Veut que présentement je sois votre mari,
Recevez ce baiser d'une bouche enflammée
D'un doux feu dont pour vous mon âme est consommée.

FLORIANE. — Permettez-moi, Monsieur, d'éviter l'accident
Que pourrait me causer votre baiser ardent ;
35   Je ne pourrais souffrir une si vive flamme.
Toutefois usez-en comme de votre femme.

FLEURIE. — Sus, sus, c'est assez dit. Pour ne point différer,
Allons diligemment les noces préparer.
Marchons, mon amitié.

M. KAROLU. —   Allons, chère Fleurie.
40   Certes, je pense encor que je me remarie.

M. JÉRÉMIE. — Or, puisque tout chacun s'y trouve si content,
Il faut que de ma part j'en fasse tout autant,
Comme un jeune galant, montrant à la jeunesse
Que pour faire l'amour il n'est que la vieillesse.

Discret, *Alizon*, Acte V, scène 4.

---

1. Contraire aux bienséances. — 2. Le bonheur. — 3. Unique en son genre, comme
l'oiseau mythique.

Cette scène introduit l'atmosphère des salons et relève de la comédie sérieuse. Une certaine préciosité se dégage des assauts de politesse et de galanterie qui contraste quelque peu avec la personnalité d'Alizon, vieille courtisane.

Un Tartuffe mystique : Richard Fontana dans une mise en scène d'Antoine Vitez (Festival d'Avignon, 1978).

Eléments de commentaire composé

Tartuffe, Acte V, scène 7, vers 1 à 39.

Situation et présentation du passage.

Ce passage constitue le deuxième élément du dénouement. La famille d'Orgon a été sauvée moralement, grâce au piège tendu par Elmire qui a permis de démasquer Tartuffe. Il reste le danger matériel que représentent la perte des biens et l'arrestation d'Orgon accusé de détenir des papiers compromettants. L'arrivée de l'exempt accompagné de Tartuffe vient tout régler. Il n'arrête pas Orgon, mais l'imposteur et, après ce moment de suspens, il intervient longuement pour donner ses explications.

Dans un discours solennel, il stigmatise Tartuffe, loue Orgon, mais surtout se livre à un véritable panégyrique du roi.

1. Une tonalité solennelle.

Ce texte apparaît d'une grande tenue. Le vers est ample, presque toujours dépourvu de coupe secondaire. Le vocabulaire est relevé («cœur»; «grande âme»; «gloire immortelle»; etc.). L'expression des idées suit une lente progression : éloge du roi (vers 1 à 13); récit de la découverte de l'imposture (vers 14 à 27); pardon des fautes et récompense des bienfaits (vers 28 à 39). Dès lors, trois types de jugements se trouvent portés.

2. Tartuffe dénoncé.

L'exempt n'a pas de mots assez forts pour dépeindre Tartuffe, cet escroc prêt à tout pour réaliser ses desseins pervers («lâchetés;» «actions toutes noires»; etc.).

3. Orgon loué.

Par contre, il reconnaît l'honnêteté d'Orgon, malgré l'imprudence qu'il a commise, en se faisant, durant la Fronde, le dépositaire de papiers compromettants : de nombreux termes témoignent d'un tel jugement positif («zèle»; «bonne action»; «mérite»; «bien»).

4. Le roi magnifié.

Mais l'exempt dépasse cette dimension anecdotique en dressant du roi un portrait où perce l'hyperbole. Il est décrit presque comme un Dieu qui sait tout, qui voit tout, qui comprend tout. Il convient de noter en particulier l'abondance des termes qui font allusion à la vue («yeux»; «droite vue»; «sans aveuglement»; etc.). Il est impossible de le tromper. Ce discernement s'accompagne d'une capacité d'action. Personne ne peut lui échapper. Il joue le rôle d'une justice distributive qui punit les méchants et récompense les bons, qui sait se venger, mais aussi pardonner («Et que mieux que du mal il se souvient du bien», vers 39).

Conclusion.

Il est besoin de l'exempt, représentant du roi, pour apporter le dénouement définitif à la pièce. Ce n'est pas là un dénouement extérieur à l'action. Tartuffe, usurpateur de pouvoir, ne peut être éliminé que par le pouvoir suprême. Mais cet éloge du roi est aussi la manifestation du respect de Molière, protégé de Louis XIV, dont il sollicite ainsi l'appui à un moment de sa carrière où il subit attaques et critiques.

Documentation, essais, recherches

1. La théâtralité.

Le schéma de la comédie d'intrigue à l'italienne possède une grande force théâtrale de par le dynamisme qu'il crée. En vous servant des extraits des pièces qui précèdent, vous essaierez de le montrer et de dégager notamment les rapports de forces suscités par l'existence de deux camps antagonistes.

2. L'étude des mœurs.

En analysant ce schéma, vous reconstituerez les relations entre parents et enfants, maîtres et serviteurs, bourgeois et nobles, telles qu'elles apparaissent au XVIIᵉ siècle.

3. La morale.

Le dénouement peut se poser comme une sanction qui s'abat sur les adversaires du bonheur du jeune premier et de la jeune première. S'agirait-il d'une prise de position morale visant à prôner le triomphe des penchants naturels au détriment de la raison, des impulsions individuelles pour le plus grand mal des impératifs sociaux ?

4. Les bienséances.

Le ridicule et l'échec du père, les mauvais tours qui lui sont souvent joués pourraient constituer des atteintes aux bienséances, à une époque où l'autorité paternelle forme un des piliers de l'ordre social. Les auteurs ont-ils toujours évité ce risque ? Comment ont-ils procédé pour tenter de l'atténuer ?

5. Intertextualité.

Reconstituez le schéma de la comédie d'intrigue à l'italienne du *Misanthrope*, de *L'Avare* et du *Bourgeois gentilhomme*. Est-il toujours complet et joue-t-il toujours le rôle essentiel ? Est-il possible de trouver des pièces de Molière d'où il est totalement absent ? Quelles préoccupations de l'auteur ce constat révèle-t-il ?

6. Le rôle du père.

Jacques Guicharnaud écrit à propos du personnage du père dans *Tartuffe* : « C'est en principe autour d'Orgon que tourne la pièce. Il représente, comme presque dans tout le théâtre moliéresque, le père, c'est-à-dire le chef, sa corruption entraîne celle de ses subordonnés, car, dans l'univers de la comédie, il retient son pouvoir malgré ses aberrations. Dans un univers moderne, disons plutôt « éclairé » et libéré, quelques querelles vigoureuses, l'affirmation des droits individuels des membres de la famille mettraient rapidement fin à la situation de façon peu heureuse sans doute : divorce, départ des enfants (Damis ne part pas : il est banni). Si la situation s'éternisait, le sujet ne serait plus l'aberration du père, mais la faiblesse des enfants » (*Molière, une aventure théâtrale*). Analysez et commentez cette appréciation.

L'« anoblissement » du Bourgeois gentilhomme (cf. p. 42 et 125) : Jérôme Savary et le Grand Magic Circus (Aulnay-sous-bois, 1981).

LA SIGNIFICATION SOCIALE DES OBSTACLES

Dans le schéma de la comédie d'intrigue à l'italienne, le rôle du père, il a été loisible de le noter à plusieurs reprises, apparaît primordial. Il semble donc indispensable, étant donné son importance, de dégager sa signification. Le père de famille est détenteur de l'autorité. Il exerce son pouvoir sur son épouse, sur ses enfants, sur ses serviteurs. Au XVIIᵉ siècle, cette fonction est considérée comme essentielle. Elle n'est guère contestée. De même que le roi se doit, dans l'ensemble du pays, d'imposer sa loi, de faire respecter l'ordre établi, de même le chef de famille a comme devoir de veiller à l'application de ses décisions, de maintenir, en s'appuyant sur de solides principes, la cohésion, l'unité de la cellule familiale. Il a donc à remplir une fonction éminemment politique. Dès lors, l'on voit les raisons des oppositions qui apparaissent institutionnellement entre celui qui commande et ceux qui doivent obéir. Les conflits de génération ont existé de tout temps. Le refus du jeune premier et de la jeune première de se soumettre, leur rejet d'une raison issue de considérations abstraites au profit d'une passion, émergence bien concrète des désirs, leur revendication d'une liberté individuelle entraînant le sacrifice des conventions sociales, sources d'aliénation, sont les manifestations d'une mentalité « adolescente » face à l'attitude « adulte ».

Mais le conflit se trouve encore aggravé par la manière dont s'exerce cette autorité obligée. Elle est, la plupart du temps, excessive. Elle devient tyrannie, contrainte insupportable. Et surtout elle est dévoyée. Elle s'exerce dans une mauvaise direction. Elle s'appuie sur des principes qui, ou bien ne sont pas valables en eux-mêmes, ou bien sont appliqués de telle manière qu'ils en perdent toute valeur. Ce qui vient en fait tout perturber, c'est l'égoïsme du père qui préside à ses décisions, qui explique ses injonctions. Ce comportement éclate sous un jour particulièrement lumineux, lorsque le père est le rival de son fils : c'est le schéma que l'on a pu observer dans *La Mère coquette* de Quinault ou dans *Le Pédant joué* de Cyrano de Bergerac ; c'est également celui qui se manifeste dans *L'Avare* de Molière : il s'agit alors d'un véritable abus de pouvoir qui amène le chef de famille à utiliser son autorité pour satisfaire, allant à l'encontre de la raison et de la nature, des appétits qu'il condamne par ailleurs chez son fils. Mais, la plupart du temps, l'égoïsme n'atteint pas ces extrémités. Ce que désire le père, c'est avoir un gendre ou une belle-fille qui le satisfasse, qui lui plaise, qui corresponde à ses aspirations, voire à ses manies, bref à la conception qu'il a de son intégration dans l'environnement social. Les deux impulsions principales qui le poussent sont l'argent et la naissance. Voilà qui donne lieu à deux types de personnages. D'une part, prend place le père attiré par les biens matériels, qui entend donner à son fils un parti fortuné ou empêcher sa fille de se marier pour ne pas avoir à verser la dot obligée. D'autre part, se profile le bourgeois parvenu, jouant au noble et désirant une alliance qui lui permettra de pénétrer dans ce milieu si convoité. On a reconnu, entre autres, Harpagon de *L'Avare* et Monsieur Jourdain du *Bourgeois gentilhomme*. Mais ces engouements qui tournent à l'obsession peuvent être des plus divers : attirance pour la médecine dans *Le Malade imaginaire*, bigoterie dans *Tartuffe*, goût pour la chicane dans *Les Plaideurs* de Racine. Et l'exploitation comique de ces ridicules ? L'auteur fera d'une pierre deux coups. Il s'appuiera sur la satire sociale et, pour éviter que l'obstacle trop crédible ne fasse tourner la comédie en drame ou que la résistance des enfants n'apparaisse malséante, il poussera la description jusqu'à la charge, donnant ainsi son ton à la pièce.

Frontispice de *L'Avare* (édition de 1682, détail).

1. L'appétit d'argent du père

Type issu de la comédie antique, le personnage de l'avare connaît un développement considérable dans la production du XVIIe siècle. L'avarice, source profonde de ridicule, constitue alors par ailleurs le moteur de l'action en tant qu'elle est la cause de l'opposition parentale au mariage des personnages sympathiques. Dans L'Avare *(1668) de Molière, elle amène le développement de deux intrigues : malgré l'amour de sa fille Elise pour Valère, l'avare Harpagon veut lui faire épouser Anselme qui accepte de renoncer à la dot. Il s'oppose, d'autre part, à ce que son fils Cléante épouse Mariane qu'il veut lui-même prendre pour femme : double situation qui le conduit à manifester son avarice envers son fils et à se livrer, véritable déchirement pour lui, à des libéralités en faveur de celle qu'il aime. Animée par le valet de Cléante, La Flèche, l'action s'achèvera sur un dénouement heureux : Valère et Mariane se révéleront être les enfants d'Anselme, ce qui mettra un terme à la rivalité des pères envers leurs fils.*

Dans La Dame d'intrigue ou Le Riche vilain *(1662), Crispin, pour ne pas avoir à verser de dot, ne veut pas que sa fille Isabelle se marie et refuse comme gendre ausi bien Lycaste qu'elle aime que Géronte, l'oncle de Lycaste. Le vol par le valet Philipin et par Ruffine, « dame d'intrigue », d'un ballot de pierres précieuses appartenant à l'avare conduira au dénouement : Crispin retrouvera son bien à condition de consentir au mariage entre Isabelle et Lycaste. L'auteur,* **Samuel Chappuzeau** *(1625-1701), s'est spécialisé dans la comédie de mœurs. Outre cette pièce, il a notamment écrit* L'Académie des femmes *(1661).*

Dans cet extrait de L'Avare, *Harpagon annonce à Valère, qui s'est fait engager comme intendant, son intention de donner sa fille Elise en mariage à Anselme. Dans le passage de* La Dame d'intrigue, *Lycaste et Philipin dressent un plan de bataille destiné à berner Crispin.*

L'Avare

HARPAGON. — Comment ? le Seigneur Anselme est un parti considérable : c'est un gentilhomme qui est noble, doux, posé, sage, et fort accommodé[1], et auquel il ne reste aucun enfant de son premier mariage. Saurait-elle mieux rencontrer ?

5 VALÈRE. — Cela est vrai. Mais elle pourrait vous dire que c'est un peu précipiter les choses, et qu'il faudrait au moins quelque temps pour voir si son inclination pourra s'accommoder avec...

HARPAGON. — C'est une occasion qu'il faut prendre vite aux cheveux. Je trouve ici un avantage qu'ailleurs je ne trouverais pas, et il s'engage à la
0 prendre sans dot.

VALÈRE. — Sans dot ?

HARPAGON. — Oui.

VALÈRE. — Ah ! je ne dis plus rien. Voyez-vous ? voilà une raison tout à fait convaincante ; il se faut rendre à cela.

15 HARPAGON. — C'est pour moi une épargne considérable.

VALÈRE. — Assurément, cela ne reçoit point de contradiction. Il est vrai que votre fille vous peut représenter que le mariage est une plus grande affaire qu'on ne peut croire ; qu'il y va d'être heureux ou malheureux toute sa vie ; et qu'un engagement qui doit durer jusqu'à la mort ne se 20 doit jamais faire qu'avec de grandes précautions.

HARPAGON. — Sans dot.

VALÈRE. — Vous avez raison : voilà qui décide tout, cela s'entend. Il y a des gens qui pourraient vous dire qu'en de telles occasions l'inclination d'une fille est une chose sans doute où l'on doit avoir de l'égard ; et que 25 cette grande inégalité d'âge, d'humeur et de sentiments, rend un mariage sujet à des accidents très fâcheux.

HARPAGON. — Sans dot.

VALÈRE. — Ah ! il n'y a pas de réplique à cela : on le sait bien ; qui diantre peut aller là contre ? Ce n'est pas qu'il n'y ait quantité de pères qui aime- 30 raient mieux ménager la satisfaction de leurs filles que l'argent qu'ils pourraient donner ; qui ne les voudraient point sacrifier à l'intérêt et chercheraient plus que toute autre chose à mettre dans un mariage cette douce conformité² qui sans cesse y maintient l'honneur, la tranquillité et la joie, et que...

35 HARPAGON. — Sans dot.

VALÈRE. — Il est vrai : cela ferme la bouche à tout, sans dot. Le moyen de résister à une raison comme celle-là ?

Molière, L'Avare. Acte I, scène 5.

---

1. A son aise. — **2.** Affinité.

La construction de cette scène repose, en grande partie, sur l'utilisation du procédé du leitmotiv. « Sans dot » scande son déroulement, soulignant l'aliénation d'Harpagon, enfermé dans son idée fixe et incapable d'intégrer toute donnée qui n'entretient pas son obsession, le goût pour l'argent.

La Dame d'intrigue

LYCASTE. —   Philipin, mon oncle est-il parti?

PHILIPIN.   — Oui, Monsieur, et toujours coiffé de sa folie.

LYCASTE.   — Que ce vieillard me fâche et que j'ai du souci!

PHILIPIN.   — Tenons bon seulement et ne bougeons d'ici.
              Vous avez bien raison de chérir Isabelle.
              Depuis un mois pour vous je suis en sentinelle,
              J'ai découvert la mèche et je sais que Crispin
              A des écus cachés tandis qu'il meurt de faim,
              Qu'il se fait gueux partout et qu'au fond il est riche;
              Mais et Ruffine et moi lui ferons belle niche,
              Ruffine dont l'esprit n'eut jamais son pareil,
              Madrée[1] au dernier point, belle comme un soleil,
              Qui joue et va grand train et s'habille en princesse,
              Et dont le revenu n'est qu'intrigue et qu'adresse.
              Ayant suivi notre homme, elle trouva moyen
              D'entrer dans un logis tout vis-à-vis du sien;
              Dans huit jours qu'à Rouen le retint son affaire,
              Elle trouva de plus le secret de lui plaire,
              Et lui plut de façon que, le voyant bien pris,
              Elle tâche avant lui de regagner Paris,
              Feint que contre un mari justement elle plaide,
              Et que de ses parents elle y va joindre l'aide.
              Enfin elle a son but, et nous la connaissons.
              Mais comme devant vous nous battrons les buissons,
              Si les oiseaux sont pris, nous devons, ce me semble,
              Par la règle de trois les partager ensemble.*

LYCASTE. — On ne peut d'un bienfait trop payer les auteurs.

PHILIPIN.   — La libéralité[2] fait les bons serviteurs,
              Je le sais par moi-même, et vois qu'il est très rare
              Qu'un valet soit fidèle auprès d'un maître avare.
              Porter les clefs de tout, c'est tenir tout ouvert;
              Ce que l'on croit sauver, c'est alors qu'on le perd:
              On aiguise par là l'esprit d'un domestique,
              Et duper un vilain c'est un acte héroïque.
              N'imitez pas votre oncle, il a ce grand défaut:
              Il m'a mis jusqu'ici le ratelier si haut
              Que je n'y puis atteindre, eussé-je un col de grue,
              Et j'aimerais mieux être un valet de charrue.

LYCASTE. — Va, sers-moi seulement.

PHILIPIN. —   Vous saurez donc enfin
40   Que Ruffine aujourd'hui doit entrer chez Crispin ;
            Qu'il arrive ce soir, et qu'il doit ici proche,
            Chargé d'un gros ballot tantôt sortir du coche.
            Il vient tout fraîchement, en beaux et bons effets,
            D'hériter à Rouen d'un riche Portugais :
45   (Ruffine a dans cent lieux des espions fidèles).
            Ce ballot est rempli des perles les plus belles,
            De rubis, de saphirs, de diamants de prix,
            De nacre, de corail, d'agathes, d'ambre gris,
            De grandes pièces d'or. Monsieur, que de richesses
50   Vous aurez beau moyen de faire des largesses.

LYCASTE. — Tu me crois donc déjà maître de ce ballot ?

PHILIPIN. — Si nous ne l'attrapons, tenez-moi pour un sot.
            Crispin, dans ce faubourg où nous faisons la ronde,
            A loué ce jardin pour se cacher du monde :
55   Il craint que, si sa fille était dans le grand jour,
            Il ne vînt mille gens pour lui faire la cour,
            Et qu'un gendre, trouvant l'occasion si belle,
            N'entreprît d'enlever son trésor avec elle.

LYCASTE. — Ce donjon que tu vois est sa triste prison.

60 PHILIPIN. — Nous mettrons le geôlier bientôt à la raison ;
            La femme est déjà nôtre, et quoiqu'un maître avare
            Les batte bien souvent pour rien, sans dire gare,
            Comme ils meurent de faim, un louis d'or offert
            Le peut rendre comme elle avec nous de concert :
65   L'argent entre partout. Mais j'aperçois Ruffine.

LYCASTE. — D'une fausse rusée elle a toute la mine.

Chappuzeau, *La Dame d'intrigue*, Acte I, scène 4.

———————

1. Rusée. — 2. Générosité.

* Cette tirade de Philipin est constituée, en grande partie, par un récit. Ce type de développement, surtout fréquent dans la tragédie, a pour fonction de rapporter des faits qui se sont déroulés en un lieu ou à un moment qui ne sont pas représentés au cours de l'action de la pièce. Il avait également le mérite de satisfaire le spectateur, avide de morceaux de bravoure.

Guide d'analyse

1. Deux avares. Ces passages évoquent l'un l'avarice d'Harpagon, l'autre celle de Crispin. Malgré cette similitude, on pourra relever des différences importantes dans la **caractérisation** de cette obsession et dans les **procédés** utilisés pour en rendre compte.

2. Deux conduites. De même, on pourra comparer les conséquences qu'un tel comportement paternel entraîne pour les deux filles.

3. Deux noms : Harpagon et Crispin. L'un comme l'autre évoquent l'avarice des deux personnages. Vous en rechercherez l'étymologie.

4. Deux prétendants. Vous analyserez l'attitude de Valère et de Lycaste envers le père de celle qu'ils aiment.

---

2. Le père et la naissance

L'aspiration des parents bourgeois à un gendre ou une belle-fille d'origine noble ne s'explique pas seulement par la satisfaction personnelle d'amour-propre. Elle est également due à la volonté de voir les enfants bénéficier d'une promotion sociale, à une époque où la bourgeoisie, détentrice de l'argent, valeur acquise, cherche à s'attribuer cette valeur de naissance que constitue le titre nobiliaire. C'est ce à quoi travaille Monsieur Jourdain du Bourgeois gentilhomme *(1670) de Molière. Il refuse sa fille Lucile à Cléonte, sous prétexte que celui-ci n'est pas noble. Il la lui donnera finalement en mariage, en le prenant pour le fils du Grand Turc, à l'issue d'un stratagème monté par le valet Covielle.*

Mais il est des pères plus raisonnables. Celui de Dorimène, Crisère, redoute, dans Les Vendanges de Suresnes *(1633), qu'elle n'épouse Palmédor, noble prisé par la mère, Doripe. Elle se mariera finalement avec Polidor qui réduira à néant les tentatives d'enlèvement de Palmédor, après avoir réglé à l'amiable sa rivalité avec Tirsis qui épousera Floris. Cette pièce est la seule comédie de* Pierre du Ryer *(1605-1658), auteur par ailleurs de nombreuses tragédies et tragi-comédies.*

Voici Monsieur Jourdain refusant la main de sa fille à Cléonte, en présence de sa femme et de la servante Nicole, tandis que Crisère essaie de convaincre son épouse des inconvénients que présente un gendre noble.

Le Bourgeois gentilhomme

MONSIEUR JOURDAIN. — Touchez-là[1], Monsieur : ma fille n'est pas pour vous.

CLÉONTE. — Comment ?

MONSIEUR JOURDAIN. — Vous n'êtes point gentilhomme, vous n'aurez pas
5 ma fille.

MADAME JOURDAIN. — Que voulez-vous dire avec votre gentilhomme ?
est-ce que nous sommes, nous autres, de la côte de saint Louis[2] ?

MONSIEUR JOURDAIN. — Taisez-vous, ma femme : je vous vois venir.

MADAME JOURDAIN. — Descendons-nous tous deux que de bonne bour-
10 geoisie ?

MONSIEUR JOURDAIN. — Voilà pas le coup de langue ?

MADAME JOURDAIN. — Et votre père n'était-il pas marchand aussi bien que
le mien ?

MONSIEUR JOURDAIN. — Peste soit de la femme ! Elle n'y a jamais manqué.
15 Si votre père a été marchand, tant pis pour lui ; mais pour le mien, ce
sont des malavisés qui disent cela. Tout ce que j'ai à vous dire, moi, c'est
que je veux avoir un gendre gentilhomme.

MADAME JOURDAIN. — Il faut à votre fille un mari qui lui soit propre, et il
vaut mieux pour elle un honnête homme riche et bien fait, qu'un gentil-
20 homme gueux et mal bâti.

NICOLE. — Cela est vrai. Nous avons le fils du gentilhomme de notre village, qui est le plus grand malitorne[3] et le plus sot dadais que j'aie jamais
vu.

MONSIEUR JOURDAIN. — Taisez-vous, impertinente. Vous vous fourrez tou-
25 jours dans la conversation. J'ai du bien assez pour ma fille, je n'ai besoin
que d'honneur, et je la veux faire marquise.

MADAME JOURDAIN. — Marquise ?

MONSIEUR JOURDAIN. — Oui, marquise.

MADAME JOURDAIN. — Hélas ! Dieu m'en garde !

30 MONSIEUR JOURDAIN. — C'est une chose que j'ai résolue.

MADAME JOURDAIN. — C'est une chose, moi, où je ne consentirai point.
Les alliances avec plus grand que soi sont sujettes toujours à de fâcheux
inconvénients. Je ne veux point qu'un gendre puisse à ma fille reprocher
ses parents, et qu'elle ait des enfants qui aient honte de m'appeler leur

35 grand-maman. S'il fallait qu'elle me vînt visiter en équipage de grand-Dame, et qu'elle manquât par mégarde à saluer quelqu'un du quartier, on ne manquerait pas aussitôt de dire cent sottises. « Voyez-vous, dirait-on, cette Madame la Marquise qui fait tant la glorieuse ? c'est la fille de Monsieur Jourdain, qui était trop heureuse, étant petite, de jouer à la Madame

40 avec nous. Elle n'a pas toujours été si relevée que la voilà, et ses deux grands-pères vendaient du drap auprès de la porte Saint-Innocent. Ils ont amassé du bien à leurs enfants, qu'ils payent maintenant peut-être bien cher en l'autre monde, et l'on ne devient guère si riches à être honnêtes gens. » Je ne veux point de tous ces caquets, et je veux un homme, en un

45 mot, qui m'ait obligation de ma fille, et à qui je puisse dire : « Mettez-vous là, mon gendre, et dînez avec moi. »

Molière, *Le Bourgeois gentilhomme*, Acte III, scène 12.

---

1. Expression employée pour exprimer un accord. — 2. De la race de Saint Louis. — 3. Maladroit.

> Mme Jourdain représente ici la sagesse populaire. Souvent, dans les comédies de Molière, se fait entendre ainsi la voix du bon sens, la solution du juste milieu. Voir notamment, dans une tonalité plus noble, Cléante de *Tartuffe* ou Philinte du *Misanthrope*.

Les Vendanges de Suresnes

CRISÈRE. — Le parti me plaît fort, hé bien, qu'en dites-vous ?
Rejetez-vous Tirsis, qui vient s'offrir à nous ?
Je n'ai pour aujourd'hui remis votre voyage
Qu'afin de vous parler touchant ce mariage.

5 DORIPE. — Tirsis est honnête homme, et les commodités
Accompagnent fort bien ses bonnes qualités.
Sa façon est aimable, il faut que je l'avoue,
Et sa gentille humeur mérite qu'on le loue,
Mais...

CRISÈRE. — Que voulez-vous dire avecques votre mais ?
10 C'est un point arrêté, ne m'en parlez jamais.
Ne quitterez-vous point cette humeur difficile ?

Mais c'est parler en vain, ce sexe est indocile,
Et c'est avec raison qu'on dit communément
Qu'il n'est bon qu'en un lit et dans un monument.
15   Afin qu'en peu de temps notre bien se consomme
Vous désirez pour gendre avoir un gentilhomme ?

DORIPE. — Quoique vos sentiments soient opposés au mien,
Ce désir est permis alors qu'on a du bien.
On ne saurait trouver de plus grande richesse
20   Qu'en la possession de la seule noblesse.
Ce bien toujours aimable et toujours plein d'appas
Ne dépend pas du sort parce qu'il n'en vient pas.
Il élève nos noms bien plus haut que les nues,
Il donne de l'éclat aux maisons inconnues.

25 CRISÈRE. — Quel est le courtisan qui vous fait ces leçons ?
Et qui vous entretient de ces belles chansons ?
Vous ne dites cela que pour me faire rire.

DORIPE. — Comme je le voudrais, je viens de vous le dire.

CRISÈRE. — On verrait bien plutôt le soleil sans clarté,
30   Que l'esprit d'une femme exempt de vanité.

DORIPE. — Sans doute Palmédor épousant notre fille
Serait un ornement pour toute la famille.

CRISÈRE. — Je ne permettrais point que ma fille ait d'amant
Qui n'a jamais eu d'or qu'en son nom seulement.
35   Cette noblesse seule est un faible avantage
On ne se nourrit pas d'un pareil héritage,
Et, malgré les leçons que vous fait Palmédor,
Un homme est assez noble alors qu'il a de l'or.
On l'aime, on le respecte, on souffre ce qu'il ose ;
40   S'il sait garder son or, il sait beaucoup de choses ;
Enfin pour se parer de la nécessité,
L'or en bourse vaut mieux que le fer au côté.

DORIPE. — Si vous n'aviez déjà l'âme préoccupée,
Vous diriez que les biens se gardent par l'épée.

45 CRISÈRE. — Puisque sans son secours je les ai su garder,
Je les saurai sans elle encore posséder.

DORIPE. — C'est toujours un bonheur que nul autre n'efface,
Que de pouvoir nombrer[1] les nobles de sa race.

CRISÈRE. — Sans nous entretenir de discours ennuyeux,
50   Il vaut mieux nombrer son or que ses aïeux.
      Ne m'en parlez donc plus ; tout homme raisonnable
      Ne se doit allier qu'avecque son semblable :
      La nature l'apprend, et nous montre ce point,
      La colombe jamais à l'aigle ne se joint.
55   L'alliance d'un noble a fait souvent connaître
      Qu'en le prenant pour gendre on se donne son maître.

DORIPE. — Pensez-vous que ma fille approuve votre choix ?

CRISÈRE. — Ne la cajolez point, ou si je le savais...

DORIPE. — C'est à vous d'ordonner, à moi de me soumettre.

Du Ryer, *Les Vendanges de Suresnes*, Acte II, scène 5.

---

1. Compter.

Crisère, qui incarne lui aussi le bon sens, oppose de façon intéressante deux des motivations parentales essentielles : celle de l'argent qu'il préfère, dans son attrait pour les réalités palpables, à celle de la naissance.

Guide d'analyse

1. La naissance. Madame Jourdain, dans *Le Bourgeois gentilhomme* et Crisère, dans *Les Vendanges de Suresnes*, sont opposés au mariage de leur fille avec un noble. Vous comparerez leurs arguments.

2. L'opposition des épouses. Madame Jourdain et Doripe sont en désaccord avec leur mari. Vous mettrez en parallèle les deux oppositions et leur manifestation.

3. Les positions différentes des pères. Monsieur Jourdain d'une part et Crisère de l'autre, amènent le spectateur à avoir, à leur égard, des attitudes dissemblables. Lesquelles ? Quelles conséquences cet état de fait a-t-il sur la nature même de l'action théâtrale ?

4. Volonté des parents et désir des enfants, raison imposée et impulsions suivies, ces contradictions sont au centre de ces deux passages. Vous essayerez de montrer comment elles se manifestent.

5. Des rapports complexes s'établissent entre **argent et noblesse**. En les analysant, on tentera d'en tirer des conséquences quant à la situation sociale de l'époque.

3. Les engouements du père

L'argent et la naissance, c'étaient là des motivations parentales qui s'expliquaient par l'aspiration à la réussite. Mais le père, dans la recherche de son futur gendre ou de sa future belle-fille, se réfère parfois à des critères moins clairs qui, s'ils ont aussi une signification sociale, font intervenir toute une démarche de compensation qui l'aide à ancrer un pouvoir mal établi. Dans Tartuffe *(1664), Orgon s'appuie sur le détenteur apparent de la foi pour imposer ses volontés, ce qui permet à Molière de montrer les dangers de l'exploitation de la religion, démonstration d'ordre « politique » qui lui valut la farouche opposition des dévots.*

Dans Les Plaideurs *(1668), Racine met en scène la manie des procès : le juge Perrin Dandin et le plaideur Chicanneau sont opposés au mariage de leurs enfants, Léandre et Isabelle ; le jeune homme arrachera finalement l'accord de Chicaneau, en lui faisant signer son consentement qu'il prend pour un exploit de justice. Cette pièce est la seule comédie de* **Jean Racine** *(1639-1699).*

A la scène 2 de l'acte II de Tartuffe, *Orgon confirme, devant la servante Dorine, son intention de marier l'hypocrite avec sa fille Mariane. A la scène 5 de l'acte I des* Plaideurs, *Léandre confie ses difficultés à l'Intimé qui est prêt à l'aider.*

Tartuffe

ORGON. —   Je vous dis...

DORINE. —   Non, vous avez beau faire,
          On ne vous croira point.

ORGON. —   A la fin mon courroux...

DORINE. — Hé bien ! on vous croit donc, et c'est tant pis pour vous.
          Quoi ? se peut-il, Monsieur, qu'avec l'air d'homme sage
5   Et cette large barbe au milieu du visage,
          Vous soyez assez fou pour vouloir ?...

ORGON. —   Ecoutez :
          Vous avez pris céans[1] certaines privautés
          Qui ne me plaisent point ; je vous le dis, mamie.

DORINE. — Parlons sans nous fâcher, Monsieur, je vous supplie.
10   Vous moquez-vous des gens d'avoir fait ce complot ?
          Votre fille n'est point l'affaire d'un bigot :
          Il a d'autres emplois auxquels il faut qu'il pense.
          Et puis, que vous apporte une telle alliance ?
          A quel sujet aller, avec tout votre bien,
15   Choisir un gendre gueux ?...

ORGON. — Taisez-vous. S'il n'a rien,
Sachez que c'est par-là qu'il faut qu'on le révère.
Sa misère est sans doute une honnête misère ;
Au-dessus des grandeurs elle doit l'élever,
Puisque enfin de son bien il s'est laissé priver
20 Par son trop peu de soin des choses temporelles,
Et sa puissante attache aux choses éternelles.
Mais mon secours pourra lui donner les moyens
De sortir d'embarras et rentrer dans ses biens :
Ce sont fiefs qu'à bon titre au pays on renomme ;
25 Et tel que l'on le voit, il est bien gentilhomme.

DORINE. — Oui, c'est lui qui le dit ; et cette vanité,
Monsieur, ne sied pas bien avec la piété.
Qui d'une sainte vie embrasse l'innocence
Ne doit point tant prôner son nom et sa naissance,
30 Et l'humble procédé de la dévotion
Souffre mal les éclats de cette ambition.
A quoi bon cet orgueil ?... Mais ce discours vous blesse :
Parlons de sa personne, et laissons sa noblesse.
Ferez-vous possesseur, sans quelque peu d'ennui[2],
35 D'une fille comme elle un homme comme lui ?
Et ne devez-vous pas songer aux bienséances,
Et de cette union prévoir les conséquences ?
Sachez que d'une fille on risque la vertu,
Lorsque dans son hymen son goût est combattu,
40 Que le dessein d'y vivre en honnête personne
Dépend des qualités du mari qu'on lui donne,
Et que ceux dont partout on montre au doigt le front
Font leurs femmes souvent ce qu'on croit qu'elles sont.
Il est bien difficile enfin d'être fidèle
45 A de certains maris faits d'un certain modèle ;
Et qui donne à sa fille un homme qu'elle hait
Est responsable au Ciel des fautes qu'elle fait.
Songez à quels périls votre dessein vous livre.

Molière, *Tartuffe*, Acte II, scène 2.

1. Dans cette maison. — 2. Chagrin, déplaisir.

Le dynamisme scénique est ici créé par le jeu des interruptions. La vivacité des répliques qu'accompagne la vivacité des gestes souligne la détermination narquoise de Dorine et la colère d'Orgon.

Les Plaideurs

LÉANDRE. — Je veux t'entretenir un moment sans témoin.

L'INTIMÉ. — Quoi ? vous faut-il garder ?

LÉANDRE. —   J'en aurais bon besoin.
J'aie ma folie, hélas ! aussi bien que mon père.

L'INTIMÉ. — Ho ! vous voulez juger ?

LÉANDRE. —   Laissons là le mystère.
5   Tu connais ce logis.

L'INTIMÉ. —   Je vous entends enfin :
Diantre ! l'amour vous tient au cœur de bon matin.
Vous me voulez parlez sans doute d'Isabelle.
Je vous l'ai dit cent fois, elle est sage, elle est belle ;
Mais vous devez songer que monsieur Chicanneau
10   De son bien en procès consume le plus beau.
Qui ne plaide-t-il point ? Je crois qu'à l'audience
Il fera, s'il ne meurt, venir toute la France.
Tout auprès de son juge il s'est venu loger :
L'un veut plaider toujours, l'autre toujours juger.
15   Et c'est un grand hasard s'il conclut votre affaire
Sans plaider le curé, le gendre et le notaire.

LÉANDRE. — Je le sais comme toi. Mais, malgré tout cela,
Je meurs pour Isabelle.

L'INTIMÉ. —   Hé bien ! épousez-la.
Vous n'avez qu'à parler : c'est une affaire prête.

20 LÉANDRE. — Hé ! cela ne va pas si vite que ta tête.
Son père est un sauvage à qui je ferais peur.
A moins que d'être huissier, sergent ou procureur,
On ne voit point sa fille ; et la pauvre Isabelle,
Invisible et dolente, est en prison chez elle.
25   Elle voit dissiper sa jeunesse en regrets,
Mon amour en fumée, et son bien en procès.
Il la ruinera si l'on le laisse faire.
Ne connaîtrais-tu point quelque honnête faussaire
Qui servît ses amis, en le payant, s'entend,
30   Quelque sergent zélé ?

L'INTIMÉ. —   Bon ! l'on en trouve tant !

LÉANDRE. — Mais encore ?

L'INTIMÉ. —   Ah ! Monsieur, si feu mon pauvre père
Etait encore vivant, c'était bien votre affaire.
Il gagnait en un jour plus qu'un autre en six mois :
Ses rides sur son front gravaient tous ses exploits.
35 Il vous eût arrêté le carrosse d'un prince ;
Il vous l'eût pris lui-même ; et si dans la province
Il se donnait en tout vingt coups de nerfs de bœuf,
Mon père, pour sa part, en emboursait dix-neuf.
Mais de quoi s'agit-il ? Suis-je pas fils de maître ?
40 Je vous servirai.

LÉANDRE. —   Toi ?

L'INTIMÉ. —   Mieux qu'un sergent peut-être.

LÉANDRE. — Tu porterais au père un faux exploit ?

L'INTIMÉ. —   Hon ! hon !

LÉANDRE. — Tu rendrais à la fille un billet ?

L'INTIMÉ. —   Pourquoi non ?
Je suis des deux métiers.

LÉANDRE. —   Viens, je l'entends qui crie.
Allons à ce dessein rêver ailleurs.

Racine, *Les Plaideurs*, Acte I, scène 5.

Guide d'analyse

1. Dans *Tartuffe*, Orgon est présenté en action, tandis que, dans *Les Plaideurs*, Chicanneau est évoqué par Léandre. Vous comparerez ces **deux techniques de description** des caractères en essayant de déterminer laquelle est la plus efficace.

2. Reconstituez les portraits d'Orgon et de Chicanneau.

3. Les manies des deux personnages semblent fort différentes. Qu'est-ce qui permet néanmoins de rapprocher leur comportement ?

4. En vous appuyant sur les éléments contradictoires fournis par Orgon et Dorine, vous dégagerez le portrait de Tartuffe (que le spectateur ne verra sur scène qu'au début de l'acte III).

Documentation, essais, recherches

1. La « médiocrité ».
On a souvent dit que Molière défendait la « médiocrité », dans son sens étymologique de « juste milieu », au détriment de l'excès. En quoi cette position apparaît-elle dans la description des comportements maniaques ? Se manifeste-t-elle également chez les trois autres auteurs cités dans ce dossier ?

2. La satire sociale.
Ces six pièces envisagent plutôt le comportement social que les caractères. Montrez-le en tentant de situer les manières d'être des personnages dans la réalité de l'époque et en vous demandant si cette évocation des mœurs pourrait convenir à la période actuelle.

3. Le rôle de la mère.
Dans plusieurs de ces six pièces, la mère n'adopte pas la même position que le père. Quel est son rôle ? Que peut-on en déduire quant à la conception que les auteurs ont de la femme ?

4. L'intrigue.
Vous dégagerez, pour ces six pièces, le schéma de la comédie d'intrigue à l'italienne en précisant sa fonction et en déterminant s'il est essentiel ou s'il n'est qu'un simple prétexte à la description des caractères et des mœurs.

5. Intertextualité.
L'argent joue un grand rôle dans la comédie du XVIIᵉ siècle. Il est particulièrement important dans *L'Avare* et dans *La Dame d'intrigue*. Mais il apparaît aussi dans certains autres extraits cités jusqu'ici. Vous relèverez les allusions qui y sont faites. Quelle est alors sa fonction dramaturgique ?

6. Intertextualité.
Vous chercherez, dans d'autres pièces de Molière, d'autres exemples de maniaques et analyserez leur comportement et leur rôle dans l'action.

7. Obsession et solitude.
Analysez et commentez cette remarque de Pierre Voltz sur *L'Avare* : « Le dessein de Molière est (...) clair. Il veut opposer un père de famille, vieux et malade, à ses enfants et à la maison nombreuse qui l'entoure : il se donne moins comme but de peindre un caractère, que d'étudier les rapports entre un homme, que son obsession rend solitaire, et tout un groupe uni contre lui. » *(La Comédie)*

LES TYPES
PITTORESQUES

Le père de famille n'avait pas uniquement pour fonction de s'opposer au mariage du jeune premier et de la jeune première et de constituer ainsi un rouage essentiel de l'action. Les motivations qui le poussaient, en revêtant l'aspect de véritables manies, en faisaient un objet d'analyse, le posaient comme un type social, tandis que les excès dans son comportement le rendaient éminemment comique. Envisagé sous cet aspect, il ne représente pas un cas isolé. Il fait partie de l'abondante catégorie des personnages pittoresques issus de la tradition médiévale ou légués à la France par la commedia dell'arte et la comédie d'intrigue à l'italienne, elles-mêmes influencées par les modèles antiques. Tantôt profondément intégrés à l'intrigue dont ils constituent des éléments indispensables, tantôt traités comme des intermèdes assez lâchement liés à l'action principale, les types hauts en couleur sont à la fois témoignages d'une réalité sociale et porteurs de rire. Leur comique dépend essentiellement des particularités de leur expression, des oppositions qui les divisent et de leur inadaptation foncière, ce qui explique que leur apparition et leur disparition soient étroitement subordonnées aux données fournies par l'état de la société.

Ainsi, durant toute une période, l'ecclésiastique avait-il fréquemment été sollicité : son habillement particulier, l'utilisation du latin, des mœurs souvent en contradiction avec sa vocation en faisaient une cible privilégiée. Au XVIIe siècle, la réforme du clergé et les rigueurs de la censure provoquent sa disparition. Il est relayé par la personnage de l'enseignant qui hérite de la plupart de ses traits : vêtu d'une longue robe, maniant la langue latine, il affiche constamment des contradictions entre ses prétentions spirituelles et son attachement au matériel, voire au charnel, entre son savoir livresque et son incorrigible sottise. La modification du système éducatif conduira à sa raréfaction progressive à partir de 1640. Le

pédant — ce terme désignait à l'origine l'éducateur — ne sera plus, dans la majorité des cas, qu'un terme susceptible de s'appliquer à tout personnage à l'érudition prétentieuse et ridicule. L'enseignant proprement dit sera, à son tour, remplacé par le **médecin** cher à Molière : habillement, recours au latin, suffisance, inadéquation entre la science prétendue et les résultats obtenus, les caractères de ce type apparaissent très proches de ceux des deux types précédents.

Ce sont surtout les particularités de langue qui vont distinguer toute une autre catégorie de types pittoresques. Les **membres du barreau** verront parodié leur langage judiciaire, leur ridicule se trouvant accentué par le port d'une robe démodée. Les **spécialistes**, alchimiste, astrologue, maître à danser, maître d'armes, etc. prêteront à la charge à cause de leur vocabulaire technique peu compréhensible pour les non-initiés. **Le poète** qui apparaît tardivement, mais connaît par la suite un développement considérable, lorsque se manifeste le mépris pour une écriture poétique considérée comme marquée par la déraison, donne prise à la caricature, soit parce qu'il maintient la tradition ronsardienne désormais surannée, soit parce qu'il donne dans une préciosité ridicule. **La femme savante** ou **la précieuse** est l'objet de la satire pour sa prétention érudite considérée comme inadéquate à son sexe, et pour l'expression recherchée qui en est la conséquence.

Il convient de mettre à part deux derniers types pittoresques. **Le faux brave**, militaire généralement d'origine espagnole, dont l'apparition s'explique par les conflits qui opposent la France à l'Espagne, est moqué pour la langue épique qu'il utilise lors de l'évocation de ses exploits. Mais c'est surtout la contradiction entre ses affirmations de bravoure et sa couardise de fait qui le rend comique. **Le vieillard** enfin offre un cas particulier, dans ce sens qu'il n'a pas une spécificité sociale et qu'il recoupe d'autres types pittoresques, notamment celui du pédant. Plus qu'un ridicule de langue, quoiqu'il s'exprime de façon souvent sentencieuse, c'est l'opposition entre ses aspirations amoureuses et l'aspect physique dû à son âge qui se trouve exploitée.

Ce ne sont là que les principaux types pittoresques qui peuvent être observés dans la comédie en France, d'autant plus fréquents et caricaturaux durant les périodes où s'impose la comédie d'intrigue, au détriment de la comédie de caractère, plus nuancée, ou de la comédie romanesque, de type espagnol, proche de la tragicomédie.

1. Le vieillard amoureux

Le type du vieillard amoureux est particulièrement répandu dans la comédie du XVIIe siècle. Le contraste entre la jeunesse de celle qu'il aime et son physique décati donne lieu à une charge souvent féroce, encore plus vigoureuse, lorsqu'il se pose, dans son amour, comme le rival de son fils. Harpagon, de L'Avare (1668), *vit une telle situation : épris de Mariane, il s'oppose à Cléante dont il est le père.*

Dans Crispin médecin (1670) *se développe une intrigue semblable : Lisidor veut épouser Alcine, fille du médecin Mirobolan, qui est aimée de son fils, Géralde. Le valet Crispin, après s'être introduit dans la maison du médecin et avoir donné des parodies de consultations, facilitera le succès des deux jeunes amants devant lequel Lisidor s'inclinera de bon gré. L'auteur de cette comédie,* **Noël Le Breton, Sieur de Hauteroche** *(1630-1707), fut aussi un acteur célèbre. Il reprit à Scarron le personnage de Crispin, valet effronté, peureux et savant, que ce dernier avait lui-même introduit en France dans* L'Ecolier de Salamanque (1654). *Il écrivit un nombre important de comédies parmi lesquelles on peut citer* Le Souper mal apprêté (1669) *et* Crispin musicien (1674).

A la scène 5 de l'acte II de L'Avare, *la femme d'intrigue, Frosine, se moque gentiment d'Harpagon dont elle est chargée de servir les intérêts amoureux, tandis qu'à la scène 1 de l'acte I de* Crispin médecin, *le valet Marin essaie de dissuader Lisidor, qui se confie à lui, de ses projets matrimoniaux.*

L'Avare

HARPAGON. — Mais, Frosine, il y a encore une chose qui m'inquiète. La fille est jeune, comme tu vois ; et les jeunes gens d'ordinaire n'aiment que leurs semblables, ne cherchent que leur compagnie. J'ai peur qu'un homme de mon âge ne soit pas de son goût ; et que cela ne vienne à produire chez moi certains petits désordres qui ne m'accommoderaient pas.*

FROSINE. — Ah ! que vous la connaissez mal ! C'est encore une particularité que j'avais à vous dire. Elle a une aversion épouvantable pour tous les jeunes gens, et n'a de l'amour que pour les vieillards.

HARPAGON. — Elle ?

FROSINE. — Oui, elle. Je voudrais que vous l'eussiez entendu parler là-dessus. Elle ne peut souffrir du tout la vue d'un jeune homme ; mais elle

n'est point plus ravie, dit-elle, que lorsqu'elle peut voir un beau vieillard avec une barbe majestueuse. Les plus vieux sont pour elle les plus charmants, et je vous avertis de n'aller pas vous faire plus jeune que vous êtes.
15 Elle veut tout au moins qu'on soit sexagénaire ; et il n'y a pas quatre mois encore, qu'étant prête d'être mariée, elle rompit tout net le mariage, sur ce que son amant fit voir qu'il n'avait que cinquante-six ans, et qu'il ne prit point de lunettes pour signer le contrat.

HARPAGON. — Sur cela seulement ?

20 FROSINE. — Oui. Elle dit que ce n'est pas contentement pour elle que cinquante-six ans ; et surtout, elle est pour les nez qui portent des lunettes.

HARPAGON. — Certes, tu me dis là une chose toute nouvelle.

FROSINE. — Cela va plus loin qu'on ne vous peut dire. On lui voit dans sa
25 chambre quelques tableaux et quelques estampes ; mais que pensez-vous que ce soit ? Des Adonis ? des Céphales ? des Pâris ? et des Apollons ? Non : de beaux portraits de Saturne, du roi Priam, du vieux Nestor, et du bon père Anchise sur les épaules de son fils[1].

HARPAGON. — Cela est admirable ! Voilà ce que je n'aurais jamais pensé ;
30 et je suis bien aise d'apprendre qu'elle est de cette humeur. En effet, si j'avais été femme, je n'aurais point aimé les jeunes hommes.

FROSINE. — Je le crois bien. Voilà de belles drogues[2] que des jeunes gens, pour les aimer ! Ce sont de beaux morveux, de beaux godelureaux[3], pour donner envie de leur peau ; et je voudrais bien savoir quel ragoût[4] il y a à
35 eux.

HARPAGON. — Pour moi, je n'y en comprends point ; et je ne sais pas comment il y a des femmes qui les aiment tant.

FROSINE. — Il faut être folle fieffée[5]. Trouver la jeunesse aimable ! est-ce avoir le sens commun ? Sont-ce des hommes que de jeunes blondins ? et
40 peut-on s'attacher à ces animaux-là ?

HARPAGON. — C'est ce que je dis tous les jours : avec leur ton de poule laitée[6], et leurs trois petits brins de barbe relevés en barbe de chat, leurs perruques d'étoupes, leurs hauts-de-chausses tout tombants, et leurs estomacs débraillés[7].

Molière, *L'Avare*, Acte II, scène 5.

---

1. A une liste de personnages jeunes et beaux s'oppose l'énumération de vieillards célèbres. — **2.** A rapprocher d'une expression comme « c'est un beau cadeau ». — **3.** Jeunes gens qui font les galants. — **4.** Quelle attirance il y a en eux. — **5.** Qui a atteint le dernier degré de la folie. — **6.** Efféminé. — **7.** Leur poitrine débraillée.

* Molière introduit fréquemment dans ses pièces de telles différences d'âge. Il faut dire qu'elles constituent souvent, à l'époque, un ressort dramaturgique de la comédie. Il faut également préciser que de tels mariages de raison étaient alors fréquents. Mais peut-être s'agit-il également d'une préoccupation particulière à Molière qui, en 1662, avait épousé Armande Béjart, de vingt ans plus jeune que lui.

Crispin médecin

MARIN. — Quoi, Monsieur ? vous voulez vous remarier, dites-vous ?

LISIDOR. — Oui, oui, je veux me remarier ; et pour cet effet j'ai envoyé mon fils à Bourges, sous prétexte d'étudier encore quelque temps la jurisprudence.

MARIN. — Suffit ; mais peut-on vous demander comment se nomme celle que vous voulez épouser ?

LISIDOR. — C'est Alcine.

MARIN. — Quoi ! la fille de Monsieur le médecin Mirobolan ?

LISIDOR. — Oui.

MARIN. — Vous vous raillez, Monsieur : cette fille n'a pas plus de dix-huit ans, et serait plus propre pour Monsieur votre fils que pour vous.

LISIDOR. — Je ne veux pas que mon fils se marie de trois ou quatre ans.

MARIN. — Mais, Monsieur, pensez-vous bien à ce que vous faites, quand vous formez le dessein d'épouser Alcine ?

LISIDOR. — Comment ! si j'y pense ? Oui, oui, j'y pense fortement. Elle est belle, elle est sage, elle est jeune, elle est spirituelle ; enfin, elle a des qualités qui ne sont pas à mépriser.

MARIN. — Hé, ce sont toutes ces belles qualités qui devraient vous empêcher d'y songer ; car, à dire le vrai, toutes ces choses ne s'accordent guère bien avec un vieillard.*

LISIDOR. — Hé, je ne suis point tant vieux.

MARIN. — Non dà : si nous étions au temps où les hommes vivaient sept ou huit cents ans, vous ne seriez encore qu'un jeune adolescent ; mais dans celui où nous sommes, je vous tiens fort avancé dans la carrière.

LISIDOR. — Mais soixante ans...

MARIN. — Ma foi, à n'en point mentir, je crois que vous en avez pour le moins douze ou quatorze de plus ; car je me souviens que l'autre jour le bonhomme Pyrante, buvant avec vous le petit coup, disait qu'il en avait soixante et six, que vous étiez en philosophie qu'il n'était encore qu'en
30 cinquième ; et qu'à la tragédie du collège il jouait le Cupidon, quand vous représentiez l'empereur[1].

LISIDOR. — Il ne sait ce qu'il dit là-dessus : il est de ces gens qui se veulent faire plus vieux qu'ils ne sont.

MARIN. — Laissons l'âge à part ; aussi bien comme on dit, il n'est que
35 pour les chevaux, Monsieur. Mais parlons un peu de votre mariage. Croyez-vous que Monsieur Mirobolan et Féliante, sa femme, vous accordent leur fille, n'ayant que cet enfant-là ? Quand on n'a qu'une fille unique, et qu'on la marie, c'est dans l'espérance de voir naître de petits poupons ; mais à ne rien déguiser, si vous l'épousez, ils courent risque de
40 n'avoir jamais cette joie, à moins que la Cour des Aides... Vous m'entendez.

LISIDOR. — Ce n'est pas là ton affaire, et je sais bien ce que je fais. Quand elle sera ma femme, nous ferons tout ce qu'il faudra faire.

MARIN. — Ma foi, je doute qu'elle la soit jamais.

45 LISIDOR. — Et moi, j'en suis fort assuré. Mirobolan est un homme de parole : il me l'a promise, de lui à moi.

MARIN. — C'est quelque chose que cela ; mais vous savez que Féliante est une maîtresse femme, et, si je ne me trompe, elle a la mine de porter le haut-de-chausses[2].

50 LISIDOR. — Je sais qu'elle est un peu fière, mais les avantages que je ferai à sa fille adouciront cette fierté ; et puis, un mari est toujours le maître de sa femme.

MARIN. — Toujours ? Ma foi, j'en vois beaucoup qui n'en demeurent pas d'accord, et qui voudraient de tout leur cœur que vous eussiez dit vrai.
55 Mais voilà Monsieur Mirobolan qui sort de chez lui.

Hauteroche, Crispin médecin, Acte I, scène 1.

---

1. Cupidon est un personnage jeune, l'empereur un personnage d'âge mûr. — **2.** Expression équivalant à « porter la culotte ».

> *Voici l'exemple d'un quiproquo comique : pour Lisidor, l'obstacle au mariage ne saurait venir de la différence d'âge, comme le supposait l'interrogation de Marin, mais bien des défauts éventuels d'Alcine. Ce malentendu souligne et la suffisance et l'absence de lucidité du vieillard.

Guide d'analyse

1. Deux veillards. Comparez les portraits d'Harpagon et de Lisidor.

2. Le jugement qu'ils portent sur eux-mêmes est fait de **lucidité** et d'**aveuglement** mêlés. Une analyse de leurs propos permettra de le souligner.

3. Un comportement ambigu. Vous essayerez de montrer comment Frosine et Marin entreprennent à la fois de dissiper les illusions des vieillards et de les conforter dans leur erreur.

4. Deux écritures dramaturgiques. Analysez les échanges de répliques dans les deux pièces. Comment Molière met-il de la vivacité là où, chez Hauteroche, règne une certaine monotonie de ton ?

---

2. L'éducateur

Au début de sa carrière, Molière met volontiers en scène ce personnage de l'éducateur qui fit les beaux jours de la comédie de la première partie du XVIIᵉ siècle. Dans Le Dépit amoureux (1656), il ne joue qu'un rôle épisodique. Métaphraste ne paraît en effet que dans une seule scène où Albert, inquiet du comportement de son fils Ascagne, lui demande conseil. Il introduit un élément de gros comique dans une intrigue romanesque fort compliquée : Ascagne est en fait la fille d'Albert ; une complexe question d'héritage l'a amenée à se travestir. Amoureuse de Valère, elle se fait d'autre part passer pour sa sœur Lucile, aimée par le jeune homme, et l'épouse. Eraste, qui aime Lucile, est averti par le valet Mascarille de ce mariage inattendu et en ressent un grand dépit, à l'étonnement indigné de la véritable Lucile. Tout finira par s'arranger : Ascagne démasquée, les deux couples pourront connaître le bonheur.

*L'action du Fidèle (publié en 1611) est encore plus embrouillée : Victoire, mariée à Cornille, aime Fortuné qui lui-même est épris de Virginie. Virginie, pour sa part, aime Fidèle qui a de la passion pour Victoire. L'éducateur Josse intervient dans ce schéma en tant qu'amoureux de Victoire. Après bien des rebondissements, Fortuné épousera Virginie et Victoire retournera à son mari. L'auteur, **Pierre de Larivey** (1540-1619), joua un grand rôle dans l'introduction en France des types pittoresques de la comédie italienne. Comme ses autres œuvres comiques (citons notamment La Constance et Les Tromperies, publiées également en 1611), Le Fidèle est la traduction d'une pièce italienne.*

A la scène 6 de l'acte II du Dépit amoureux, Molière nous fait assister à l'entretien entre Albert et Métaphraste, tandis qu'à la scène 11 de l'acte IV du Fidèle, Josse, qui a revêtu l'habit d'un mendiant, fait sa cour à la servante Blaisine qu'il prend pour Victoire.

Le Dépit amoureux

MÉTAPHRASTE. —   *Mandatum tuum curo diligenter*[1]...

ALBERT.   — Maître, j'ai voulu...

MÉTAPHRASTE. —   Maître est dit *a magister*[2],
C'est comme qui dirait trois fois plus grand.

ALBERT.   —   Je meure[3],
Si je savais cela : mais soit, à la bonne heure!
5   Maître donc...

MÉTAPHRASTE. —   Poursuivez.

ALBERT.   —   Je veux poursuivre aussi :
Mais ne poursuivez point, vous, d'interrompre ainsi.
Donc, encore une fois, maître (c'est la troisième),
Mon fils me rend chagrin ; vous savez que je l'aime,
Et que soigneusement je l'ai toujours nourri.

10   MÉTAPHRASTE. — Il est vrai : *filio non potest preferri*
Nisi filius[4].

ALBERT.   —   Maître, en discourant ensemble,
Ce jargon n'est pas fort nécessaire, me semble.
Je vous crois grand latin[5] et grand docteur juré[6].
Je m'en rapporte à ceux qui m'en ont assuré ;
15   Mais dans un entretien qu'avec vous je destine
N'allez point déployer toute votre doctrine,
Faire le pédagogue, et cent mots me cracher,
Comme si vous étiez en chaire pour prêcher.
Mon père, quoiqu'il eût la tête des meilleures,
20   Ne m'a jamais rien fait apprendre que mes heures[7],
Qui depuis cinquante ans dites journellement
Ne sont encor pour moi que du haut allemand[8].
Laissez donc en repos votre science auguste,
Et que votre langage à mon faible s'ajuste.

25   MÉTAPHRASTE. — Soit.

ALBERT.   —   A mon fils, l'hymen semble lui faire peur,
Et sur quelque parti que je sonde son cœur,
Pour un pareil lien il est froid, et recule.

MÉTAPHRASTE. — Peut-être a-t-il l'humeur du frère de Marc Tulle[9],
Dont avec Atticus[10] le même fait sermon ;
30   Et comme aussi les Grecs disent : « *Atanaton*[11]... »

ALBERT. — Mon Dieu ! maître éternel, laissez-là, je vous prie,
Les Grecs, les Albanais, avec l'Esclavonie[12],
Et tous ces autres gens dont vous venez parler :
Eux et mon fils n'ont rien ensemble à démêler.

35 MÉTAPHRASTE. — Hé bien donc, votre fils ?

ALBERT. —   Je ne sais si dans l'âme
Il ne sentirait point une secrète flamme :
Quelque chose le trouble, ou je suis fort déçu ;
Et je l'aperçus hier, sans en être aperçu,
Dans un recoin du bois où nul ne se retire.

40 MÉTAPHRASTE. — Dans un lieu reculé du bois, voulez-vous dire,
Un endroit écarté, *latine, secessus*[13] ;
Virgile l'a dit : *Est in secessu locus*[14]...

Molière, *Le Dépit amoureux*, Acte II, scène 6.

---

1. J'obéis avec empressement à votre ordre. — **2.** Maître d'école. — **3.** Que je meure (subj.). — **4.** On ne peut préférer à un fils qu'un fils : il s'agit là d'une règle du droit féodal. — **5.** Qui parle très bien latin. — **6.** Auquel la capacité de docteur a été reconnue. — **7.** Livre de prières. — **8.** Inintelligibles. — **9.** Cicéron, auteur latin (106-43 av. J.-C.). — **10.** Ami de Cicéron. Les deux hommes échangèrent une abondante correspondance. — **11.** « Immortel », en grec. — **12.** Région d'Europe centrale. — **13.** En latin, « retraite ». — **14.** « Il y a un lieu écarté. »

> Molière utilise, à des fins comiques, la juxtaposition d'un langage savant et d'une expression quotidienne. C'est là également un moyen de souligner l'inadaptation de Métaphraste. L'auteur a recours à un latin correct et renonce donc au comique créé par le jargon.

Le Fidèle

(MONSIEUR JOSSE, *déguisé*, BLAISINE.)

JOSSE. — Si un Apollon frère de Diane et fils de Jupiter, pour coucher avec Isse, fille de Macarée, ne réputa à blâme vêtir la figure de l'humble personne d'un simple Pasteur, pourquoi prendrai-je à honte et déshonneur, si je me suis déguisé et pris l'habit d'un mendiant pour jouir de ma très belle Victoire ? Tulles dit *Quod exemplo fit jure fieri putant*[1]. Donc me proposant aller aux désirés accollements, aux chers embrassements de ma très douce amie, plaise toi ô Phébus retarder le cours de tes chevaux, et me concéder une nuit triduane[2] telle qu'eut Jupiter quand il jouit d'Alcmène, car si celle-ci au sein de laquelle je me prépare aller, n'est en beauté supérieure à l'autre, elle ne lui est pourtant inférieure. Hé, qui est or[3] à la fenêtre de Victoire ? *Nempe*[4], c'est ma petite âme, accede[5] donc

Monsieur Josse, et par ton melliflu[6] parler, fais-lui entendre comme tu lui es très fort affectionné, et ardemment vulnéré[7] de son amour, en lui demandant secours.

15 BLAISINE. — Voici mon doux et beau Narcisse, par ma foi, il me prend volonté m'en aller avec lui.

JOSSE. — *Ego vado*[8], comme je sens mes membres se refroidir. Je puis bien dire que la sentence de ce sage Galien se vérifie en moi, lorsqu'il dit que quand on s'achemine à une entreprise difficile, le sang se retire des extré-
20 mités corporelles, et court se rendre au cœur fontaine des esprits vitaux. Mais puisque tu es refroidi, approche de ta Thaïs, dit le célèbre Térence, car *calesces plusquam satis*[9].

BLAISINE. — Je le veux écouter.

JOSSE. — *Pulcherrima mulieris, et columba mea speciosissima*[10], donnez per-
25 mission à moi homme de mérite, si or je me montre tant hardi et impu-
dent, qu'ayant mis à part toute honte et vérécondie[11], digne d'un homme libre, je viens vous assaillir à l'imprévu (...), à ce faire j'ai été contraint par ce furcifer[12], nu, ailé, bandé, et pharétré[13], enfant de cette Déesse qu'on nomme Vénus, lequel avec un de ses traits m'a transverbéré[14] cette poi-
30 trine (...) par quoi comme un malade fébricitant[15] j'ai recours à vous (...), afin que me bailliez cette médecine qui se trouve en votre bibliothèque ou cabinet, et qu'avec la lumière de vos éclairants yeux vous rasséréniez l'obscure nue de mon cupidineux désir. Donc par vos cheveux plus que dorés, par votre front plus qu'argenté, par vos joues plus que rouges, par
35 vos lèvres plus que vermeilles, par ces têtons traitables, par ce beau sein relevé (...), je vous prie et supplie (...) que veuillez et vous disposiez d'être contente de me recevoir en votre giron, et entre vos membres délicats, afin que, comme un marinier (...), je puisse (...) conduire cette frêle nacelle au désiré port de vos amoureux bras et lui donner fond, m'arrê-
40 tant en la tranquillité de vos grâces, vous affirmant (...) qu'en courage me trouverez un autre Hector, en force un autre Hercule, en valeur un autre César, en doctrine un autre Diogène, et en bonté un autre Caton (...).

BLAISINE. — Tu parles de cette façon afin de m'être connu et pour voir si j'en aime un autre que toi, mais tu te trompes, car je te connais bien, oui,
45 oui, attends, je vais en bas et m'en veux aller avec toi.

Larivey, *Le Fidèle*, Acte IV, scène 11.

---

1. « On pense que ce qui est fait par l'exemple est fait à bon droit. » — 2. Qui dure trois jours. — 3. Maintenant. — 4. C'est un fait. — 5. Approche. — 6. Doux comme le miel. — 7. Blessé. — 8. Je m'avance. — 9. Tu t'échauffes plus que suffisamment. — 10. La plus belle des femmes et ma colombe à l'aspect parfait. — 11. Pudeur. — 12. Coquin. — 13. Qui porte un carquois. — 14. Transpercé. — 15. Souffrant de fièvre.

Cette scène, qui repose essentiellement sur un comique d'expression, peut paraître statique. Mais le dynamisme est introduit par les tics traditionnellement attribués à l'enseignant qui ponctue notamment ses propos de gestes emphatiques, marque de sa suffisance.

Guide d'analyse

1. Les traits d'érudition prêtés à Métaphraste et à Josse sont en grand nombre. Vous en ferez un relevé, en essayant notamment de classer les différentes figures de style utilisées.

2. Le comportement des deux personnages est aussi inefficace et inadapté que leur langage. Ils ont des difficultés à agir et connaissent souvent l'échec. Une études des actes qu'ils accomplissent et de leurs résultats permettra de le montrer. Le peu de place qu'ils occupent dans l'action dramaturgique ne fait que confirmer ce constat.

3. L'attitude des interlocuteurs envers eux est également significative de leurs ridicules. Vous le montrerez et replacerez les effets comiques que provoque le dialogue dans la construction d'ensemble de l'éducateur.

Le Malade imaginaire entouré de médecins inquiétants (cf. p. 62-64) : Jean-Marie Proslier et la Compagnie des Nouveaux Classiques (Porte Saint-Martin, 1981).

3. Le médecin

C'est à Molière que revient le mérite d'avoir donné au personnage du médecin le développement qui sera le sien durant la seconde partie du XVIIᵉ siècle. Dans Le Malade imaginaire *(1673), sa dernière comédie, le type est construit avec une vigueur particulière, parce qu'étroitement lié à l'action : Angélique, fille d'Argan, aime Cléante. Mais le père la destine au médecin Thomas Diafoirus dont il espère ainsi des secours quotidiens. Après bien des péripéties suscitées par la servante Toinette, Argan acceptera le mariage souhaité par les deux jeunes gens.*

Le schéma du Médecin volant *(1664) d'**Edme Boursault** (1638-1701) est fort proche de celui de* Crispin médecin *de Hauteroche qui, comme dans cette comédie, exploitera le personnage du valet cher à Scarron : Fernand s'opposant au mariage de Lucrèce avec Cléon, la jeune fille feint d'être malade. Le valet Crispin se déguise en médecin pour s'introduire dans la maison et faciliter la rencontre des deux amoureux. Le père consentira finalement au mariage. L'auteur de cette comédie est surtout célèbre pour son* Portrait du peintre, *réponse à* La Critique de L'Ecole des femmes *de Molière, auquel ce dernier répliquera avec* L'Impromptu de Versailles, *dans le cadre de la polémique de 1663, que suscitera* L'Ecole des femmes.

C'est à une véritable consultation que se livrent Monsieur Diafoirus et son fils qui a, tout d'abord, fait sa cour à Angélique. Crispin, quant à lui, consulté par Fernand, joue au médecin.

Le Malade imaginaire

ANGÉLIQUE. — Eh ! mon père, donnez-moi du temps, je vous prie. Le mariage est une chaîne où l'on ne doit jamais soumettre un cœur par force ; et si Monsieur est honnête homme, il ne doit point vouloir accepter une personne qui serait à lui par contrainte.

5 THOMAS DIAFOIRUS. — *Nego consequentiam*[1], Mademoiselle, et je puis être honnête homme et vouloir bien vous accepter des mains de Monsieur votre père.

ANGÉLIQUE. — C'est un méchant moyen de se faire aimer de quelqu'un que de lui faire violence.

10 THOMAS DIAFOIRUS. — Nous lisons des anciens, Mademoiselle, que leur coutume était d'enlever par force de la maison des pères les filles qu'on menait marier, afin qu'il ne semblât pas que ce fût de leur consentement qu'elles convolaient dans les bras d'un homme.

ANGÉLIQUE. — Les anciens, Monsieur, sont les anciens, et nous sommes
15 les gens de maintenant. Les grimaces ne sont point nécessaires dans notre
siècle ; et quand un mariage nous plaît, nous savons fort bien y aller, sans
qu'on nous y traîne. Donnez-vous patience : si vous m'aimez, Monsieur,
vous devez vouloir tout ce que je veux.

THOMAS DIAFOIRUS. — Oui, Mademoiselle, jusqu'aux intérêts de mon
20 amour exclusivement.

ANGÉLIQUE. — Mais la grande marque d'amour, c'est d'être soumis aux
volontés de celle qu'on aime.

THOMAS DIAFOIRUS. — *Distinguo*[2], Mademoiselle : dans ce qui ne regarde
point sa possession, *concedo*[2], mais dans ce qui la regarde, *nego*[2]. (...)

25 MONSIEUR DIAFOIRUS. — Nous allons, Monsieur, prendre congé de vous.

ARGAN. — Je vous prie, Monsieur, de me dire un peu comment je suis.

MONSIEUR DIAFOIRUS.*lui tâte le pouls* — Allons, Thomas, prenez l'autre
bras de Monsieur, pour voir si vous saurez porter un bon jugement de
son pouls. *Quid dicis*[3] ?

30 THOMAS DIAFOIRUS. — *Dico*[4] que le pouls de Monsieur est le pouls d'un
homme qui ne se porte point bien.

MONSIEUR DIAFOIRUS. — Bon.

THOMAS DIAFOIRUS. — Qu'il est duriuscule[5] ; pour ne pas dire dur.

MONSIEUR DIAFOIRUS. — Fort bien.

35 THOMAS DIAFOIRUS. — Repoussant[6].

MONSIEUR DIAFOIRUS. — *Bene*[7].

THOMAS DIAFOIRUS. — Et même un peu caprisant[8].

MONSIEUR DIAFOIRUS. — *Optime*[9].

THOMAS DIAFOIRUS. — Ce qui marque une intempérie[10] dans le
40 *parenchyme splénique*[11], c'est-à-dire la rate.

MONSIEUR DIAFOIRUS. — Fort bien.

ARGAN. — Non : Monsieur Purgon dit que c'est mon foie qui est malade.

MONSIEUR DIAFOIRUS. — Eh ! oui : qui dit *parenchyme*, dit l'un et l'autre, à
cause de l'étroite sympathie qu'ils ont ensemble, par le moyen du *vas
breve du pylore*[12], et souvent des *méats cholidoques*[13]. Il vous ordonne sans
doute de manger force rôti ?

ARGAN. — Non, rien que du bouilli.

MONSIEUR DIAFOIRUS. — Eh! oui : rôti, bouilli, même chose. Il vous ordonne fort prudemment, et vous ne pouvez être en de meilleures
50 mains.

ARGAN. — Monsieur, combien est-ce qu'il faut mettre de grains de sel dans un œuf?

MONSIEUR DIAFOIRUS. — Six, huit, dix, par les nombres pairs; comme dans les médicaments, par les nombres impairs.

55 ARGAN. — Jusqu'au revoir, Monsieur.

Molière, *Le Malade imaginaire*, Acte II, scène 6.

---

1. Je nie la conséquence. — 2. Je distingue, je concède, je nie. — 3. Que dis-tu? — 4. Je dis. — 5. Un peu dur. — 6. Pouls si fort qu'il repousse le doigt qui le tâte. — 7. Bien. — 8. Pouls qui s'interrompt, puis s'accélère. — 9. Très bien. — 10. Manque de juste mesure. — 11. Le parenchyme est un organe où afflue le sang. — 12. Eléments situés à la base de l'estomac. — 13. Conduits qui amènent la bile dans le duodénum.

Les attaques que mène Molière contre le faux savoir des médecins sont, en partie du moins, liées à une expérience personnelle : l'auteur dramatique, de santé chancelante, avait pu lui-même souffrir du charlatanisme de ceux qui le soignaient.

Le Médecin volant

CRISPIN, *en soutane.*
—
Pythagore, Platon,
Mâche-à-Vide, Pancrace, Hésiode, Caton...

FERNAND, *bas.*
— Quel serait ce docteur? Écoutons.

CRISPIN. —
Caligule,
Polyeucte, Virgile, Anaxandre, Luculle...

FERNAND, *bas.*
5 — O dieux!

CRISPIN. —
Robert Vinot, Scipion l'Africain,
Jodelet, Mascarille, Aristote, Lucain,
Médecins de César, assassins d'Alexandre,
Vous voyez un phénix qu'a produit votre cendre!

FERNAND, *bas.*
— Serait-ce un médecin? Il en parle.

CRISPIN. — Approchez,
10   Venez voir, grands docteurs, les mystères cachés
De l'Encyclopédie et de la médecine.

FERNAND. — C'en est un.

CRISPIN. — Venez voir ce que c'est que racine
De la mer Arabique, et le flux et reflux.

FERNAND, *à Crispin.*
— Monsieur.

CRISPIN. — Que voulez-vous ? *Ego sum medicus* [1].
15   Médecin passé maître, apprenti d'Hippocrate,
Je compose le baume et le grand mithridate ;
Je sais par le moyen du plus noble des arts,
Que qui meurt en février n'est plus malade en mars ;
Que de quatre saisons une année est pourvue,
20   Et que le mal des yeux est contraire à la vue.

FERNAND. — Je ne saurais douter d'un si rare savoir...
Si j'osais vous prier...

CRISPIN. — De quoi ? Parlez.

FERNAND. — De voir
Une fille que j'ai que chacun désespère...

CRISPIN. — Vous avez une fille ? Et vous êtes son père,
25   A ce compte ?

FERNAND. — Oui, Monsieur ; et j'ai peur de sa mort.

CRISPIN. — Elle est donc fort malade ?

FERNAND. — Oui, Monsieur.

CRISPIN. — Elle a tort ;
Je lui veux conseiller qu'elle cesse de l'être.
Qui domine sur nous s'en veut rendre le maître ;
Or, le mal dominant par d'occultes [2] ressorts,
30   Il corrompt la matière, il ravage le corps ;
L'individu qui souffre, au moment qu'il s'épure,
D'un peu d'apothéose entretient sa nature ;
La vapeur de la terre, opposée à ce mal,
Dans l'humaine vessie établit un canal ;
35   Le cancer froidureux rend l'humeur taciturne,
Le vaillant zodiaque envisage Saturne [3],
Et, s'il faut qu'avec eux j'en demeure d'accord,

Rien n'abrège la vie à l'égal de la mort.
Ce sont de ces auteurs les leçons que j'emprunte.
40 Votre fille, à propos, serait-elle défunte ?

FERNAND. — Non, Monsieur.

CRISPIN. —   Mange-t-elle ?

FERNAND. —   Un petit, grâce aux dieux !

CRISPIN. — Elle n'est donc pas morte ?

FERNAND. —   Elle ? nenni.

CRISPIN. —   Tant mieux.
Je m'en réjouis fort.

FERNAND. —   Et de quoi ? Cette vie
Avant la fin du jour lui peut être ravie.

45 CRISPIN. — Tant pis ! L'a-t-on fait voir à quelque médecin ?

FERNAND. — Nullement.

CRISPIN. —   Elle a donc quelque mauvais dessein,
Puisqu'elle veut mourir sans aucune ordonnance.
De ces sortes de maux notre école s'offense.
Quand un homme se trouve en état de périr,
50 Toujours un médecin doit l'aider à mourir ;
Et c'est faire éclater des malices énormes,
Que vouloir refuser de mourir dans les formes.
Instruisez votre fille, et lui dites au moins
Pour mourir comme il faut qu'elle attende mes soins.
55 Son âme à déloger est trop impatiente,
Monsieur.

Boursault, *Le Médecin volant*, Acte I, scène 7.

---

1. Moi, je suis médecin. — 2. Cachés. — 3. Allusions aux signes astrologiques.

Guide d'analyse

1. Médecins et éducateurs. Les uns comme les autres, ils affichent leur savoir et font un grand usage du latin. Vous relèverez et analyserez les passages où se manifeste cette tendance des médecins et vous comparerez leur expression avec celle des enseignants.

2. Modèle et imitation. Prennent place d'une part une véritable consultation et d'autre part une parodie. Laquelle vous semble la plus excessive ? Comment se manifeste la charge dans chacune des scènes ?

3. Le prestige de la médecine. Les assistants se montrent pleins de déférence devant cette avalanche de formules plus ou moins obscures. Les médecins sont, à l'évidence, plus respectés que les enseignants. Voyez-vous la raison d'une telle différence de traitement ?

4. Deux langages ? Dans la première partie du passage du *Malade imaginaire*, Thomas Diafoirus fait sa cour à Angélique. Relevez et analysez les expressions dont il se sert en vous demandant si son langage est fondamentalement différent de celui utilisé lors de la consultation.

4. Les spécialistes

Les spécialistes, de par les tics de leur métier et de par leur langage technique, sont des sources faciles de rire. Molière les a souvent utilisés dans son théâtre. Le Bourgeois gentilhomme (1670) en contient un grand nombre, maître à danser, maître d'armes, maître de philosophie, etc., venus donner des leçons à M. Jourdain, au grand bénéfice de la satire des mœurs.

Le Campagnard (1656) campe l'astrologue Anselme qui s'est mis au service de Léandre, amoureux de Phénice et rival du Campagnard et de son ami Cliton. Anselme, par ses prédictions fantaisistes, amènera les deux prétendants à reporter leur amour sur la sœur, Philis. Mais Léandre tombera à son tour amoureux de Philis. Il obtiendra sa main, tandis que Cliton, revenant à sa passion première, s'enfuiera avec Phénice. Gillet de la Tessonnerie (1620-1660), outre d'autres comédies dont Francion *(1640) et* Le Déniaisé *(1647), surtout marquées par l'étude des mœurs, a écrit plusieurs tragédies et tragicomédies.*

Mais voici les interventions de plusieurs spécialistes du Bourgeois gentilhomme *et la consultation donnée par le faux astrologue Anselme au Campagnard, en présence du valet Jodelet.*

Le Bourgeois gentilhomme

MAÎTRE D'ARMES, *après lui avoir mis le fleuret à la main.* — Allons, Monsieur, la révérence. Votre corps droit. Un peu penché sur la cuisse gauche. Les jambes point tant écartées. Vos pieds sur une même ligne. Votre poignet à l'opposite de votre hanche. La pointe de votre épée vis-à-vis de votre

5 épaule. Le bras pas tout à fait si étendu. La main gauche à la hauteur de l'œil. L'épaule gauche plus quartée[1]. La tête droite. Le regard assuré. Avancez. Le corps ferme. Touchez-moi l'épée de quarte, et achevez de même. Une, deux. Remettez-vous. Redoublez de pied ferme. Un saut en arrière. Quand vous portez la botte[2], Monsieur, il faut que l'épée parte la
10 première, et que le corps soit bien effacé. Une, deux. Allons, touchez-moi l'épée de tierce[3], et achevez de même. Avancez. Le corps ferme. Avancez. Partez de là. Une, deux. Remettez-vous. Redoublez. Un saut en arrière. En garde, Monsieur, en garde.

Le Maître d'armes lui pousse deux ou trois bottes, en lui disant : « En garde. »

15 MONSIEUR JOURDAIN. — Euh ?

MAITRE DE MUSIQUE. — Vous faites des merveilles.

MAITRE D'ARMES. — Je vous l'ai déjà dit, tout le secret des armes ne consiste qu'en deux choses, à donner, et à ne point recevoir ; et comme je vous fis voir l'autre jour par raison démonstrative, il est impossible que vous rece-
20 viez, si vous savez détourner l'épée de votre ennemi de la ligne de votre corps : ce qui ne dépend seulement que d'un petit mouvement du poignet ou en dedans, ou en dehors.

MONSIEUR JOURDAIN. — De cette façon donc, un homme, sans avoir du cœur[4], est sûr de tuer son homme, et de n'être point tué.

25 MAITRE D'ARMES. — Sans doute. N'en vîtes-vous pas la démonstration ?

MONSIEUR JOURDAIN. — Oui.

MAITRE D'ARMES. — Et c'est en quoi l'on voit de quelle considération nous autres nous devons être dans un État, et combien la science des armes l'emporte hautement sur toutes les autres sciences inutiles, comme la
30 danse, la musique, la...

MAITRE A DANSER. — Tout beau, Monsieur le tireur d'armes : ne parlez de la danse qu'avec respect.

MAITRE DE MUSIQUE. — Apprenez, je vous prie, à mieux traiter l'excellence de la musique.

35 MAITRE D'ARMES. — Vous êtes de plaisantes gens, de vouloir comparer vos sciences à la mienne.

MAITRE DE MUSIQUE. — Voyez un peu l'homme d'importance !

MAITRE A DANSER. — Voilà un plaisant animal, avec son plastron !

MAITRE D'ARMES. — Mon petit maître à danser, je vous ferais danser comme il faut. Et vous, mon petit musicien, je vous ferais chanter de la belle manière.

MAITRE A DANSER. — Monsieur le batteur de fer, je vous apprendrai votre métier.

MONSIEUR JOURDAIN, *au Maître à danser*. — Êtes-vous fou de l'aller quereller, lui qui entend la tierce et la quarte, et qui sait tuer un homme par raison démonstrative?

MAITRE A DANSER. — Je me moque de sa raison démonstrative, et de sa tierce et de sa quarte.

MONSIEUR JOURDAIN. — Tout doux, vous dis-je.

MAITRE D'ARMES. — Comment? petit impertinent.

MONSIEUR JOURDAIN. — Eh! mon Maître d'armes.

MAITRE A DANSER. — Comment? grand cheval de carrosse.

MONSIEUR JOURDAIN. Eh! mon Maître à danser.

MAITRE D'ARMES. — Si je me jette sur vous...

MONSIEUR JOURDAIN. — Doucement.

MAITRE A DANSER. — Si je mets sur vous la main...

MONSIEUR JOURDAIN. — Tout beau.

MAITRE D'ARMES. — Je vous étrillerai d'un air...

MONSIEUR JOURDAIN. — De grâce!

MAITRE A DANSER. — Je vous rosserai d'une manière...

MONSIEUR JOURDAIN. — Je vous prie.

MAITRE DE MUSIQUE. — Laissez-nous un peu lui apprendre à parler.

MONSIEUR JOURDAIN. — Mon Dieu! arrêtez-vous!

Molière, *Le Bourgeois gentilhomme*, Acte II, scène 2.

---

1. Ecartée de la ligne de l'épée. — 2. Coup. — 3. En laissant l'épée de l'adversaire à droite. — 4. Sans avoir du courage.

Le début de la scène exploite la gestuelle. Au dynamisme de ce duel simulé viennent s'ajouter deux procédés comiques, l'un né de l'opposition entre l'efficacité du maître et la maladresse de l'élève, l'autre provoqué par l'accumulation des termes techniques.

Le Campagnard

LE CAMPAGNARD. — Que faisait en ce lieu le plus savant des hommes ?

ANSELME, *d'un ton grave.*
            — Nous en sommes le moindre, en l'état où nous
                                         [sommes,
            Et verrions notre esprit tous les jours en défaut,
            Sans les rayons infus qui nous viennent d'en haut.

LE CAMPAGNARD, *à Jodelet.*
5   — O dieux ! qu'il est savant !

JODELET.   —   Monsieur, c'est un vrai diable.

LE CAMPAGNARD. — A quoi pouvait rêver votre esprit admirable ?

ANSELME.   — J'étais dans les douleurs d'un grand enfantement
            Que j'allais mettre au jour assez heureusement :
            Pour traiter la chimie avecque plus de gloire
10   Je songeais à construire un grand laboratoire,
            Dont les récipients et les vaisseaux lutés[1]
            Par le feu graduel[2] ne fussent point gâtés.
            Je voulais tempérer l'ardeur immodérée
            Du sel élémentaire et de l'huile éthérée ;
15   Je songeais à trouver quelques secrets nouveaux,
            Pour aisément pouvoir calciner les métaux
            Et tirer l'élixir des choses pénétrantes,
            Pour extraire le sel essentiel des plantes,
            Pour faire promptement la sublimation[3],
20   Fixation d'esprit[4] et fumigation[5].
            Je songeais au pouvoir qu'a le divin Mercure
            Sur le corps métallique en changeant sa nature,
            Comme il se volatise et se peut congeler,   ·
            Corroder[6] et dissoudre et se coaguler.

25 LE CAMPAGNARD. — Si bien qu'on ne saurait obtenir audience
            Sans détruire les fruits d'une longue science !

ANSELME.   — Parlez-nous, mais en bref.

LE CAMPAGNARD. —   Je viens savoir de vous
            Si le sort me doit être ou rigoureux ou doux,
            Si je serais heureux en épousant Phénice.

30 ANSELME.   — Je veux, dans peu de temps, vous rendre ce service.

LE CAMPAGNARD. — Vous m'avez déjà fait cent fois ce compliment,
Mais, comme ce désir me touche vivement,
Monsieur, pardonnez-moi si je vous presse encore
De vouloir satisfaire un feu qui me dévore
Et de diligenter mon horoscope un peu.
Je ne suis point ingrat.

ANSELME, *bas ce vers.*
— Puis-je avoir plus beau jeu ?
Monsieur, à dire vrai, votre horoscope est faite ;
Mais, vous ayant vu né sous mauvaise planète,
Je me suis résolu de n'en déclarer rien.

LE CAMPAGNARD. — Hé ! de grâce, Monsieur, soit mon mal ou mon bien,
D'une ou d'autre façon veuillez me satisfaire.

ANSELME. — C'est un point résolu, je ne le saurais faire.
Tout autre, pour tirer son salaire de vous,
Vous ferait changer d'astre, ou le rendrait plus
[doux ;
Mais, étant au-dessus de toute récompense,
Je me tais, ou je dis les choses que je pense.

LE CAMPAGNARD. — Encore un coup, Monsieur, parlez-moi franchement,
Et veuillez de ma part prendre ce diamant.

ANSELME, *prenant le diamant.*
— Rien ne peut me tenter, Monsieur, je vous le jure :
Mais, sachant votre bonne ou mauvaise aventure,
Si vous n'étiez pas homme à vous épouvanter
Des maux qu'avec le temps vous pourriez éviter,
Et si vous compreniez, en voyant vos désastres,
Qu'un esprit tout-puissant prédomine les astres
Et change leurs décrets selon sa volonté,
Je vous ferais savoir votre nativité.
Mais...

LE CAMPAGNARD. — Je vous le promets.

ANSELME. — Je ne vous puis rien dire.

LE CAMPAGNARD. — Monsieur, c'est redoubler l'excès de mon martyre.
De grâce !...

ANSELME. — Armez-vous donc de résolution.
(*Il fait semblant de lire un grand papier qu'il tire de sa poche.*)*
Vous avez pris naissance au signe du Lion,

Sous sa tête, où l'on voit quatre étoiles semées,
Qui d'un feu toujours vif semblent être allumées.
Il est l'onzième signe, et des plus capitaux,
Etant particulier de trente partiaux.
65   Le nom d'Algebaac est celui qu'on lui donne.

Gillet de la Tessonnerie, *Le Campagnard*, Acte III, scène 2.

---

1. Vases hermétiquement clos. — 2. Feu dont on augmente progressivement la chaleur. — 3. Transformation en vapeur. — 4. Fixation d'un produit liquide. — 5. Production de vapeur. — 6. Ronger, attaquer.

> * Cette indication scénique souligne l'importance des apparences qui, dans le théâtre de cette époque, constitue un ressort dramatique fréquemment utilisé, parce qu'il est susceptible de provoquer ces rebondissements que le spectateur prisait tant.

Guide d'analyse

1. Le maître d'armes du *Bourgeois gentilhomme* et le prétendu astrologue du *Campagnard* utilisent un grand nombre de **termes techniques**. Vous en ferez la liste et réfléchirez sur leur effet comique. Vous pourrez noter les différences de registres de vocabulaire entre les deux expressions, dont l'une est plutôt concrète et l'autre plutôt abstraite, et essayer de les expliquer.

2. Les consultants sont prêts à tout accepter. Les raisons d'une telle soumission sont-elles les mêmes que pour les clients du médecin?

3. Dans la deuxième partie du passage du *Bourgeois gentilhomme*, une violente altercation éclate entre les spécialistes. Vous en déterminerez les causes et en dégagerez le comique, sans oublier de faire intervenir l'attitude de Monsieur Jourdain.

5. Le poète

Molière, en introduisant le personnage du poète, continue une tradition relativement récente; puisque ce type ne s'impose dans la comédie en France qu'à partir des années 1630. Dans Le Misanthrope *(1666), il met en scène Oronte. Evitant d'en faire un intermède, il l'intègre à l'action principale : il est en effet le rival du misanthrope Alceste. Tous deux aiment Célimène, la coquette, qui ne manque pas de soupirants. Ecœuré par l'hypocrisie qui entâche tout son entourage, Alceste décidera de quitter ce monde frelaté, en un dénouement plus dramatique que comique.*

Dès 1635, **Antoine Mareschal** *(1603?-1648?) campe, dans* Le Railleur, *le poète De Lyzante. Amoureux de Clytie, il a lui aussi des rivaux, le railleur Clarimand, meneur de jeu de la pièce, et le faux brave Taillebras. Clarimand, pour pouvoir approcher Clytie, qu'il veut séduire et non épouser, contraint sa sœur Clorinde à faire semblant d'être amoureuse du frère, Amédor. Deux mariages marqueront le dénouement, Clorinde s'éprenant réellement d'Amédor et Clarimand étant amené à signer, malgré lui, la promesse d'épouser Clytie. Par ailleurs auteur de tragédies et de tragi-comédies, Antoine Mareschal a écrit deux autres comédies,* L'Inconstance d'Hylas *(1630) et* Le Fanfaron *(1637).*

Voici Oronte donnant lecture de son sonnet devant le misanthrope et son ami Philinte, puis De Lyzante lisant le sien en présence de Clytie, de Clarimand, de Taillebras et du soldat Beaurocher.

Le Misanthrope

ORONTE. — *Sonnet...* C'est un sonnet. *L'espoir...* C'est une dame
Qui de quelque espérance avait flatté ma flamme.
L'espoir... Ce ne sont point de ces grands vers pompeux,
Mais de petits vers doux, tendres et langoureux.
(À toutes ces interruptions il regarde Alceste).

ALCESTE. — Nous verrons bien.

ORONTE. — *L'espoir...* Je ne sais si le style
Pourra vous en paraître assez net et facile,
Et si du choix des mots vous vous contenterez.

ALCESTE. — Nous allons voir, Monsieur.

ORONTE. — Au reste, vous saurez
Que je n'ai demeuré qu'un quart d'heure à le faire.

ALCESTE. — Voyons, Monsieur ; le temps ne fait rien à l'affaire.

ORONTE. — *L'espoir, il est vrai, nous soulage,*
Et nous berce un temps notre ennui ;
Mais, Philis, le triste avantage,
Lorsque rien ne marche après lui !

PHILINTE. — Je suis déjà charmé de ce petit morceau.

ALCESTE. — Quoi ? vous avez le front de trouver cela beau ?

ORONTE. —   *Vous eûtes de la complaisance;*
                Mais vous en deviez moins avoir,
                Et ne vous pas mettre en dépense
20   *Pour ne me donner que l'espoir.*

PHILINTE. — Ah! qu'en termes galants ces choses-là sont mises!

ALCESTE, *bas.*
            — Morbleu! vil complaisant, vous louez des sottises?

ORONTE. —   *S'il faut qu'une attente éternelle*
                Pousse à bout l'ardeur de mon zèle,
25   *Le trépas sera mon recours.*

                Vos soins ne m'en peuvent distraire:
                Belle Philis, on désespère,
                Alors qu'on espère toujours.

PHILINTE. — La chute¹ en est jolie, amoureuse, admirable.

ALCESTE, *bas.*
30   — La peste de ta chute! Empoisonneur au diable,
                En eusses-tu fait une à te casser le nez!

PHILINTE. — Je n'ai jamais ouï de vers si bien tournés.

ALCESTE. — Morbleu!...

ORONTE. —   Vous me flattez, et vous croyez peut-être...

PHILINTE. — Non, je ne flatte point.

ALCESTE, *bas.*
            —   Et que fais-tu donc, traître?

35 ORONTE. — Mais, pour vous, vous savez quel est notre traité:
                Parlez-moi, je vous prie, avec sincérité.

ALCESTE. — Monsieur, cette matière est toujours délicate,
                Et sur le bel esprit nous aimons qu'on nous flatte.
                Mais un jour, à quelqu'un, dont je tairai le nom,
40   Je disais, en voyant des vers de sa façon,
                Qu'il faut qu'un galant homme ait toujours grand empire
                Sur les démangeaisons qui nous prennent d'écrire;
                Qu'il doit tenir la bride aux grands empressements
                Qu'on a de faire éclat de tels amusements;
45   Et que, par la chaleur de montrer ses ouvrages,
                On s'expose à jouer de mauvais personnages.

ORONTE. — Est-ce que vous voulez me déclarer par-là
          Que j'ai tort de vouloir... ?

ALCESTE. —   Je ne dis pas cela.
          Mais je lui disais, moi, qu'un froid écrit assomme,
          Qu'il ne faut que ce faible à décrier un homme,
          Et qu'eût-on, d'autre part, cent belles qualités,
          On regarde les gens par leurs méchants côtés.

Molière, *Le Misanthrope*, Acte I, scène 2.

---

1. Effet sur lequel s'achève le poème.

> Molière exploite ici un comique plein de finesse, en mettant en parallèle trois comportements : celui d'Oronte, poète susceptible et peu sûr de lui, celui de Philinte, prêt aux concessions pour satisfaire Oronte, celui d'Alceste, attaché sans réserves à la franchise.

Le Railleur

CLYTIE.   — Ce sonnet que voici...

CLARIMAND. —   Donnez ; je le veux lire.

CLYTIE.   — Et quelques vains discours de ce lardeur de chiens [1]
             M'ont tenue à la croix par de sots entretiens.

TAILLEBRAS. — Pour détourner un flux d'injures nompareilles,
              Montre beaucoup de cœur et quasi point d'oreilles ;
              Joue ici de la mine et morgue [2] le destin,
              Déguise cet affront du geste plus mutin.

LYZANTE (*voyant que Clarimand veut lire son sonnet*).
          — Une grâce, Monsieur ; je l'attends à mains jointes ;
          Si vous lisez, je perds la moitié de mes pointes [3] ;
          Que je prenne l'honneur, vous le contentement
          Que mes vers soient ouïs selon leur ornement ;
          On est assez d'ailleurs sujet à la censure ;
          Et je suis délicat pour la moindre blessure.

CLYTIE.   — Sa demande est fort juste ; on ne peut refuser...

CLARIMAND (*lui donnant le sonnet*).
          — A lui-même sa voix, afin de s'accuser.

SONNET *(que Lyzante lit haut).*

LYZANTE. — *Pour vous rendre, Clytie, un assez digne hommage,*
Il n'est rien ici bas de sortable à vos yeux ;
On ne vous peut donner que le nom précieux
D'être enfin la merveille et l'honneur de notre âge.

CLARIMAND *(l'interrompant).*

20 — Ah! quel ton! quel accent! ô Dieu! qu'il est plaisant!
Il mignarde sa voix, puis il fait le pesant,
Il a les yeux ardents comme un chat que l'on berne,
La hure d'un Lion qui sort de sa caverne ;
Il fronce le sourcil, qui plus fier qu'un Huissier
25 Semble dire « Paix là, Silence, il est sorcier »,
Sans cracher, sans tousser écoutez ses Oracles ;
Il faut après cela s'écrier : « Aux miracles ! » *

(Il lui prend le sonnet pour le lire).

Donne ; ta voix m'écorche et l'oreille et les reins ;
Il fallait une pause entre les deux quatrains.

SONNET *(que Clarimand recommence à lire).*

30 *Pour vous rendre, Clytie, un assez digne hommage,*
Il n'est rien ici bas de sortable à vos yeux ;
On ne vous peut donner que le nom précieux
D'être enfin la merveille et l'honneur de notre âge.

Vous voir, et s'éblouir, n'aimer que son dommage⁴,
35 *Ce sont de nos transports les plus officieux⁵ ;*
Nous faisons ce que fait le Soleil dans les Cieux,
Qui sans parler, en vous admire son image.

Que cet Original vous cède en tous ses traits !
Vous avez ses rayons ; il n'a pas vos attraits,
40 *Ni la blancheur du teint, ni les grâces encore :*

Je vous trouve pourtant semblables en un point ;
C'est que ces deux Objets, que la Nature adore,
Enflamment tout le Monde, et ne s'échauffent point.

DE LYZANTE

De Lyzante? Ah! ce « De » témoigne sa Noblesse :
45 C'est où la vanité les séduit et les blesse ;

Il tranchent du Monsieur, et dans leurs vains projets
Ils sont Nobles sans fiefs, et Seigneurs sans sujets.

LYZANTE. — J'ai titre...

CLARIMAND. —   Au carrefour, et dedans les affiches.

﹂LYZANTE. — Et le droit de chasser...

CLARIMAND. —   Oui, même jusqu'aux Biches ;
50 Mais de celles, sans plus, qui dans les lieux d'honneur
Vous font selon l'argent passer pour un Seigneur :
On rit d'une Noblesse et si courte et camuse[6] ;
Quittez cette Bâtarde, et caressez la Muse.
Celle-ci, Beaurocher, te plaît-elle ?

BEAUROCHER. —   Fort peu.

55 CLARIMAND. — Qu'en dis-tu ?

BEAUROCHER. —   Que ces vers mériteraient le feu.

CLARIMAND. — Voilà trop de rigueur : Et vous ?

CLYTIE. —   C'est ma créance[7],
Que j'avais suspendue avecque patience :
Tu fais le téméraire encore, et tu souris ?
Va, crois-tu me pêcher avec des vers pourris ?
60 Mais tous mis en morceaux, je les rends à la terre.
(Elle les déchire.)

Mareschal, *Le Railleur*, Acte II, scène 4.

---

1. Allusion désagréable au métier du faux brave Taillebras. — 2. Méprise. — 3. Traits
d'esprit. — 4. Malheur. — 5. Empressés. — 6. Qui a le nez court et plat. — 7. C'est ce
que je crois.

> *Ces indications satiriques de Clarimand soulignent l'importance de la gestuelle et de la mimique dans l'interprétation du poète.

Lecture comparée

Situation et présentation des deux passages.
Ces deux textes sont extraits de deux comédies écrites à plus de trente ans d'intervalle, l'une, *Le Railleur*, en 1635, l'autre, *Le Misanthrope*, en 1666. Ils mettent chacun en scène un personnage de poète dont ils font la satire. Ce sont là deux charges qui, malgré quelques différences, ont de nombreux points communs.

1. Deux sonnets précieux.

Le poème de De Lyzante et celui d'Oronte sont des sonnets. Ce constat n'a rien de surprenant : le sonnet est en effet le genre à la mode tout au long du XVIIᵉ siècle. Qu'elle soit explicite comme dans *Le Misanthrope* par la bouche d'Alceste, ou implicite comme dans *Le Railleur*, la critique est évidente, c'est celle de la préciosité et de ses manifestations, notamment l'hyperbole (« attente éternelle » dans *Le Misanthrope* ou « merveille et honneur de notre âge » dans *Le Railleur*), l'antithèse (« triste avantage » dans *Le Misanthrope* ou « n'aimer que son dommage » dans *Le Railleur*), le recours à la pointe, effet qui termine le poème (« ... on désespère, /Alors qu'on espère toujours » dans *Le Misanthrope*, « Enflamment tout le Monde, et ne s'échauffent point » dans *Le Railleur*).

2. Des lectures ridicules.

A ce ridicule dans l'expression s'ajoute le ridicule dans les attitudes. Les poètes entendent lire eux-mêmes leurs œuvres. Cette revendication, apparente dans les deux comédies, renvoie, à l'évidence, aux lectures publiques qui se pratiquaient fréquemment dans les salons. Dans *Le Railleur*, le ton de voix et la mimique sont clairement ridiculisés par Clarimand (« il mignarde sa voix » ; « il fait le pesant » ; etc.). Cette affectation et cette exagération conviennent également à la prestation d'Oronte, quoiqu'elles ne soient pas explicitement signalées.

3. Des auteurs susceptibles.

Les deux poètes se révèlent l'un et l'autre d'une grande susceptibilité. Lyzante le déclare sans ambages (« Et je suis délicat pour la moindre blessure »). Oronte, s'il réclame la sincérité (« Parlez-moi, je vous prie, avec sincérité », demande-t-il à Alceste), ne l'accepte pas en fait.

4. Des différences de traitement.

Sous la ressemblance des comportements des deux poètes se dissimulent quelques différences de traitement : De Lyzante, qui se fait passer pour noble, est poète à gages, tandis qu'Oronte se présente comme un amateur éclairé. Aussi la réaction des auditeurs varie-t-elle. Dans le premier cas, les critiques, qui ne portent d'ailleurs pas sur le poème, mais sur le statut social de l'auteur, sont à la limite de la politesse. Dans le second cas, elles sont exprimées par Alceste de façon détournée et relativement modérée.

Conclusion. Cette satire de la poésie, qui apparaît dans le théâtre en France aux environs de 1630, constitue une manifestation du triomphe progressif de la raison et de la technique au détriment de la fantaisie et de l'inspiration.

6. La femme savante

Si, dans L'Ecole des femmes, Molière montrait, à travers Agnès, les inconvénients que pouvait présenter l'ignorance féminine, dans *Les Femmes savantes (1672), il dégage par contre le ridicule de l'excès de savoir et des prétentions érudites de Philaminte, femme de Chrysale, de sa belle-sœur Bélise et de sa fille Armande, en une action reprenant le schéma traditionnel : Clitandre et Henriette, autre fille de Chrysale et de Philaminte, s'aiment ; Clitandre est également aimé de Bélise et d'Armande. Le père l'accepterait volontiers comme gendre, mais Philaminte préférerait le bel esprit Trissotin. Le jeune premier et la jeune première l'emporteront, Armande et Bélise devant se consoler avec la philosophie.*

Les Visionnaires (1637) mettent en scène une série de types plaisants : Mélisse, férue de romans, Hespérie, qui croit que tout le monde l'aime, Sestiane, attirée par le théâtre ; à ces trois filles d'Alcidon, se joignent quatre prétendants, Amidor, poète extravagant, Artabaze, faux brave, Filidan, amoureux imaginaire et Phalante, riche imaginaire. La pièce s'achèvera sur le constat de l'impossibilité des mariages. **Jean Desmarets de Saint-Sorlin** *(1595-1676), en dehors de cette comédie, a surtout composé des tragicomédies.*

Voici les conversations de salon auxquelles se livrent Armande, Bélise, Philaminte et Trissotin d'une part, Sestiane, Mélisse, Hespérie et Amidor, de l'autre.

Les Femmes savantes

TRISSOTIN. — Si vous vouliez de vous nous montrer quelque chose,
A notre tour aussi nous pourrions admirer.

PHILAMINTE. — Je n'ai rien fait en vers, mais j'ai lieu d'espérer
Que je pourrai bientôt vous montrer, en amie,
5   Huit chapitres du plan de notre académie.
Platon s'est au projet simplement arrêté,
Quand de sa République il a fait le traité ;
Mais à l'effet entier je veux pousser l'idée
Que j'ai sur le papier en prose accommodée.
10   Car enfin je me sens un étrange dépit
Du tort que l'on nous fait du côté de l'esprit.
Et je veux nous venger, toutes tant que nous sommes,
De cette indigne classe où nous rangent les hommes,
De borner nos talents à des futilités,
15   Et nous fermer la porte aux sublimes clartés. *

ARMANDE.   — C'est faire à notre sexe une trop grande offense,
De n'étendre l'effort de notre intelligence
Qu'à juger d'une jupe et de l'air d'un manteau,
Ou des beautés d'un point, ou d'un brocart nouveau.

20   BÉLISE.   — Il faut se relever de ce honteux partage,
Et mettre hautement notre esprit hors de page[1].

TRISSOTIN.   — Pour les dames on sait mon respect en tous lieux ;
Et, si je rends'hommage aux brillants de leurs yeux,
De leur esprit aussi j'honore les lumières.

25   PHILAMINTE. — Le sexe aussi vous rend justice en ces matières ;
Mais nous voulons montrer à de certains esprits,
Dont l'orgueilleux savoir nous traite avec mépris,
Que de science aussi les femmes sont meublées ;
Qu'on peut faire comme eux de doctes assemblées,
30   Conduites en cela par des ordres meilleurs,
Qu'on y veut réunir ce qu'on sépare ailleurs,
Mêler le beau langage et les hautes sciences,
Découvrir la nature en mille expériences,
Et, sur les questions qu'on pourra proposer
35   Faire entrer chaque secte, et n'en point épouser.

TRISSOTIN.   — Je m'attache pour l'ordre au péripatétisme[2].

PHILAMINTE.   — Pour les abstractions, j'aime le platonisme[3].

ARMANDE.   — Épicure[4] me plaît, et ses dogmes sont forts.

BÉLISE.   — Je m'accommode assez pour moi des petits corps[5] ;
40   Mais le vide à souffrir me semble difficile,
Et je goûte bien mieux la matière subtile[6].

TRISSOTIN.   — Descartes pour l'aimant donne fort dans mon sens.

ARMANDE.   — J'aime ses tourbillons[7].

PHILAMINTE. —   Moi, ses mondes tombants[8].

ARMANDE.   — Il me tarde de voir notre assemblée ouverte,
45   Et de nous signaler par quelque découverte.

TRISSOTIN.   — On en attend beaucoup de vos vives clartés,
Et pour vous la nature à peu d'obscurités.

PHILAMINTE. — Pour moi, sans me flatter, j'en ai déjà fait une,
Et j'ai vu clairement des hommes dans la lune.

50   BÉLISE.   — Je n'ai point encor vu d'hommes, comme je crois ;

        Mais j'ai vu des clochers tout comme je vous vois.

ARMANDE.   — Nous approfondirons, ainsi que la physique,
        Grammaire, histoire, vers, morale et politique.

PHILAMINTE.   — La morale a des traits dont mon cœur est épris,
        Et c'était autrefois l'amour des grands esprits ;
        Mais aux Stoïciens je donne l'avantage,
        Et je ne trouve rien de si beau que leur sage.

               Molière, *Les Femmes savantes*, Acte III, scène 2.

---

1. Affranchi de toute tutelle. — 2. Doctrine d'Aristote, philosophe grec (384-322 av. J.-C.). — 3. Philosophie de Platon (428-348 av. J.-C.). — 4. Philosophe grec (341-270 av. J.-C.). — 5. Les atomes. — 6. Formule utilisée par le philosophe Descartes (1596-1650). — 7. Théorie cartésienne. — 8. Allusion à l'explication des comètes.

> * La femme savante est fréquemment, au XVIIᵉ siècle, une féministe. A partir du moment où elle est, elle aussi, détentrice du savoir, elle devient l'égale de l'homme et doit rejeter sa domination.

Les Visionnaires

SESTIANE.   — J'ai ce matin appris un nouveau compliment,
        Laissez-moi repartir.

AMIDOR.   —   Je salue humblement
        L'honneur des triples sœurs, les trois belles Charites[1].

SESTIANE.   — Nous mettons nos beautés aux pieds de vos mérites.

AMIDOR.   — De quoi s'entretenait votre esprit aime-vers ?

SESTIANE.   — Nous discourions ici sur des sujets divers.

MÉLISSE.   — Nous parlions des exploits du vaillant Alexandre*.

AMIDOR.   — Ce grand roi qui cent rois enfanta de sa cendre ?
        Cet enfant putatif[2] de grand Dieu foudroyant ?
        Ce torrent de la guerre, orgueilleux, ondoyant ?
        Ce Mars plus redouté que cent mille tempêtes ?
        Ce bras qui fracassa cent millions de têtes ?

MÉLISSE.   — Je vous aime, Amidor, de le louer ainsi.

HESPÉRIE. — Savez-vous un sujet dont nous parlions aussi ?
15   D'une dont la beauté peut aisément prétendre
                D'avoir plus de captifs que n'en fit Alexandre.

AMIDOR. — Donc je la nommerais Cyprine[3] dompte-cœur,
                Qui d'un trait doux-poignant subtilement vainqueur,
                Et du poison sucré d'une friande œillade
20   Rendrait des regardants la poitrine malade.

HESPÉRIE. — Jugez en vérité, laquelle est-ce de nous ?

AMIDOR. — Je ne puis, sans de deux-encourir le courroux,
                Pour un tel jugement le beau pasteur de Troie[4]
                Aux Argives flambeaux[5] donna sa ville en proie.
25   Il ne faut point juger des grandes déités.
                Je puis nommer ainsi vos célestes beautés.

SESTIANE. — O dieux ! qu'il a d'esprit, mais il faut que je die
                Que nous parlions aussi touchant la comédie :
                Car c'est ma passion. (...)

30   Toutefois[6] le comique étant bien inventé,
                Peut être ravissant quand il est bien traité.
                Dites, approuvez-vous ces règles de critiques,
                Dont ils ont pour garants tous les auteurs antiques,
                Cette unité de jour, de scène, d'action ? (...)

35   Toutefois[6] ces esprits critiques, et sévères,
                Ont leurs raisons à part qui ne sont pas légères.
                Qu'il faut poser le jour, le lieu qu'on veut choisir.
                Ce qui vous interrompt ôte tout le plaisir :
                Tout changement détruit cette agréable idée,
40   Et le fil délicat dont votre âme est guidée.
                Si l'on voit qu'un sujet se passe en plus d'un jour,
                L'auteur, dit-on alors, m'a fait un mauvais tour,
                Il m'a fait sans dormir passer des nuits entières :
                Excusez le pauvre homme, il a trop de matières,
45   L'esprit est séparé : le plaisir dit adieu.
                De même arrive-t-il si l'on change de lieu.
                On se plaint de l'auteur : il m'a fait un outrage :
                Je pensais être à Rome, il m'enlève à Carthage.
                Vous avez beau chanter, et tirer le rideau,
50   Vous ne m'y trompez pas, je n'ai point passé l'eau.

Ils désirent aussi que d'une haleine égale,
On traite sans détour l'action principale.
En mêlant deux sujets, l'un pour l'autre nous fuit,
Comme on voit s'échapper deux lièvres que l'on suit.
Ce sont là deux raisons, si j'ai bonne mémoire.
Je me rapporte à vous de ce qu'on en doit croire.

Desmarets de Saint-Sorlin, Les Visionnaires, Acte II, scène 4.

---

1. Les trois Grâces. — 2. Présumé. — 3. Aphrodite, déesse de l'amour. — 4. Paris. — 5. Les flambeaux des Argiens, destructeurs de Troie. — 6. «Toutefois» succède à une réplique d'Amidor.

* Alexandre était l'un des personnages privilégiés du roman historique, genre alors à la mode qui racontait les exploits et les amours de héros empruntés souvent à l'histoire antique.

Guide d'analyse

1. Une curiosité sans limites. Les femmes savantes de Molière et celles de Desmarets de Saint-Sorlin s'intéressent à de nombreux domaines. Vous en dresserez la liste.

2. Les conceptions philosophiques de l'époque apparaissent à travers les propos des personnages des *Femmes savantes*. On relèvera en particulier les passages faisant allusion à l'épicurisme et au cartésianisme et on se documentera sur ces deux visions du monde.

3. Sestiane fournit de nombreux renseignements sur **les règles du théâtre** durant cette première partie du XVIIe siècle. Vous en ferez l'inventaire et les comparerez avec les règles classiques.

4. L'expression de l'ensemble des personnages des deux pièces paraît artificielle. Montrez-le, en essayant plus particulièrement de caractériser **le ton de la conversation**.

Documentation, essais, recherches

1. Le vieillard.

Les extraits de comédies qui ont été donnés jusqu'ici mettent souvent en scène des vieillards : faites-en la liste et comparez leurs caractères. Vous pourrez également en relever quelques exemples dans le théâtre de Molière et les analyser.

2. Le pédant.

Rapprochez le personnage de Granger du *Pédant joué* de Cyrano de Bergerac (p.25) des éducateurs du *Dépit amoureux* et du *Fidèle* (p. 58 et 59). Après avoir par ailleurs étudié le personnage du docteur d'université dans *La Jalousie du Barbouillé* et ceux de Pancrace et Marphurius du *Mariage forcé*, deux pièces de Molière, définissez l'originalité de cet auteur par rapport à ses devanciers ou à ses contemporains.

3. Le médecin.

Les médecins sont fréquents dans les comédies de Molière. Relevez les noms de ceux que vous connaissez. Est-il possible de dégager des traits particuliers qui viennent nuancer chacun de ces personnages ?

4. Les spécialistes.

En étudiant en détail leur comportement dans *Le Bourgeois gentilhomme*, faites le portrait des nombreux spécialistes qui paraissent dans cette pièce.

5. Le poète.

Vous établirez un parallèle entre les passages cités du *Misanthrope* (p. 73) et du *Railleur* (p. 75) d'une part, la scène 2 de l'acte III des *Femmes savantes* (p. 79) et la scène 1 de l'acte I de *La Comtesse d'Escarbagnas* où Trissotin et le vicomte lisent des vers de leur composition, d'autre part.

6. Les femmes savantes.

Vous comparerez le comportement et l'expression des femmes savantes avec ceux des précieuses ridicules (p. 97).

7. Le matamore.

L'extrait de *L'Illusion comique* (p. 20) et celui du *Railleur* (p. 75) contiennent le type du faux brave. Vous essaierez de préciser ses caractéristiques.

LES REGISTRES COMIQUES

L'existence d'un schéma à peu près constant, la présence de types pittoresques dont la diversité se trouve en partie masquée par les ressemblances qui marquent leur construction donneraient à penser que la comédie au XVIIᵉ siècle est caractérisée par son monolithisme. Ce serait là tomber dans le schématisme. Si, en effet, malgré quelques exceptions, une organisation s'inspirant de la comédie d'intrigue à l'italienne triomphe, d'une part, comme il a pu être constaté à plusieurs reprises, certains éléments de ce schéma font parfois défaut, d'autre part, un tel fonctionnement n'est parfois qu'un prétexte à la peinture des caractères ou à la réflexion « politique ». Si, par ailleurs, les types pittoresques sont la plupart du temps présents, il n'est pas rare que la finesse de leur description les débarrasse du stéréotype et en fasse des personnages nettement individualisés. Enfin, l'écriture elle-même revêt des aspects multiples, se différenciant à l'intérieur du ton comique et faisant également intervenir des registres qui échappent à cette tonalité.

Il est donc temps de préciser brièvement les principaux types d'écriture comique. Il suffira de mentionner pour mémoire la comédie d'intrigue : il a été amplement question de ce genre reposant sur les amours contrariées et mettant en scène les personnages pittoresques, structure presque obligée de tout fonctionnement comique. Ce qui est alors sollicité chez le spectateur, c'est la curiosité face à la multiplicité des événements, parfois aussi l'inquiétude, sentiment que l'apparition des personnages hauts en couleur vient heureusement tempérer. L'évocation des caractères et des mœurs, qui peut aller jusqu'à la réflexion sur l'organisation de la société, introduit ce qui est communément appelé la grande comédie. C'est alors la réflexion du public qui est suscitée, démarche sérieuse que vient tempérer le rire subtil né du constat des contradictions qui divisent les personnages. De même, la comédie « critique » (*La Critique de l'Ecole des femmes*, *L'Impromptu de Versailles*, 1663), en introduisant la dimension du pamphlet, s'adresse à l'intelligence du spectateur que l'auteur prend également soin d'amuser par le schématisme destructeur avec lequel il évoque les positions de l'adversaire.

Ce que l'on appelle le comique de mots regroupe des procédés dont la diversité éclate sous la constante que constitue le jeu sur le langage : cela va du recours au patois paysan (*Dom Juan*) ou au charabia (*Le Bourgeois gentilhomme*), à la dénonciation d'une expression outrée et artificielle (*Les Précieuses ridicules*), en passant par la répétition, comme dans le texte cité des *Fourberies de Scapin*, ou à l'accumulation, comme dans l'extrait donné du *Fidèle* de Larivey : le rire vient alors à la fois de l'étourdissement ressenti devant le brio de l'auteur et de l'inadéquation d'un tel usage avec les événements qui en font éclater toute l'inefficacité. Il est donc déjà, dans cette écriture, un comique de situation qui apparaît, dans sa pureté, lorsqu'un personnage se trouve impliqué dans des faits qu'il n'arrive pas à dominer et qui le laissent totalement démuni : c'est alors que se manifeste, dans toute son ampleur, l'écriture burlesque ou héroïco-comique qui se construit sur des jeux d'opposition que vient souligner l'emploi de niveaux stylistiques opposés : des sujets élevés sont alors traités en un style bas ou des sujets considérés comme prosaïques sont évoqués dans un style relevé. Plus fréquemment dans le genre théâtral, cohabitent, chez un même personnage, expressions nobles et expressions vulgaires ou encore, procédé plus efficace, comme dans *Dom Japhet d'Arménie* de Scarron et *Dom Juan* de Molière, prennent place en même temps la noblesse fausse ou réelle d'un personnage et les bouffonneries d'un autre. Ce décalage était source d'un comique encore subtil. La farce, quant à elle, fait intervenir le gros rire. Qu'elle se suffise à elle-même ou qu'elle vienne parfois égayer une situation plus sérieuse, elle amuse par le comique de gestes qu'elle développe, fait de gesticulations, de mimiques, de poursuites et de coups.

1. La comédie de caractères et de mœurs

Molière, surtout vers le milieu de sa carrière, a fréquemment dépassé la simple étude des caractères, pour s'élever jusqu'à l'analyse de leurs implications collectives, n'hésitant pas à poser le problème de l'équilibre de la société. C'est à une telle réflexion qu'il se livre dans Le Misanthrope *(1666), en montrant que le jeu de l'hypocrisie et de la politesse conventionnelle marque profondément la vie sociale.*

Les ambitions de Boisrobert sont moins grandes. Dans La Belle plaideuse *(1653), il met en scène, un peu pêle-mêle, l'aspiration à l'argent, le prestige de la naissance et le goût de la dépense, le tout sur un fond d'intrigue à l'italienne pimentée de romanesque : Ergaste aime Corinne, mais Argine, la mère de la jeune fille, n'est guère enthousiasmée par cette liaison : elle a besoin d'argent pour gagner un procès qui permettra à la famille de recouvrer biens et titres perdus et trouve que le jeune homme n'est pas suffisamment généreux. De son côté, Amidor, le père de l'amoureux, indigné par les dépenses, à son avis inconsidérées, du jeune homme, est prêt à le déshériter. Avare, il n'est guère disposé non plus à marier sa fille Isabelle avec Falandre, le frère de Corinne. Les mariages seront évidemment conclus, le gain du procès par la belle plaideuse qui se révèle, d'autre part, être noble, arrangeant bien les choses. François Le Métel de Boisrobert (1592-1662), protégé de Richelieu puis de Mazarin, est l'auteur d'une abondante production théâtrale, surtout riche en tragi-comédies et en comédies marquées par l'étude des mœurs et le romanesque, parmi lesquelles on peut citer* La Jalouse d'elle-même *(1649) et* L'Inconnue *(1654).*

L'extrait du Misanthrope *marque l'opposition entre l'intransigeant Alceste et l'opportuniste Philinte ; dans le passage de* La Belle plaideuse, *la suivante Nicette brosse pour Ergaste le portrait de sa maîtresse Argine.*

Le Misanthrope

ALCESTE. — Je veux qu'on soit sincère, et qu'en homme d'honneur,
On ne lâche aucun mot qui ne parte du cœur.

PHILINTE. — Lorsqu'un homme vous vient embrasser avec joie,
Il faut bien le payer de la même monnoie,
Répondre, comme on peut, à ses empressements,
Et rendre offre pour offre, et serments pour serments.

ALCESTE. — Non, je ne puis souffrir cette lâche méthode
Qu'affectent la plupart de vos gens à la mode ;

Et je ne hais rien tant que les contorsions
10 De tous ces grands faiseurs de protestations[1],
Ces affables donneurs d'embrassades frivoles,
Ces obligeants diseurs d'inutiles paroles,
Qui de civilités avec tous font combat,
Et traitent du même air l'honnête homme et le fat[2].
15 Quel avantage a-t-on qu'un homme vous caresse,
Vous jure amitié, foi, zèle, estime, tendresse,
Et vous fasse de vous un éloge éclatant,
Lorsqu'au premier faquin[3] il court en faire autant?
Non, non, il n'est point d'âme un peu bien située
20 Qui veuille d'une estime ainsi prostituée;
Et la plus glorieuse a des régals peu chers,
Dès qu'on voit qu'on nous mêle avec tout l'univers:
Sur quelque préférence une estime se fonde,
Et c'est n'estimer rien qu'estimer tout le monde.
25 Puisque vous y donnez, dans ces vices du temps,
Morbleu! vous n'êtes pas pour être de mes gens;
Je refuse d'un cœur la vaste complaisance
Qui ne fait de mérite aucune différence;
Je veux qu'on me distingue; et pour le trancher net,
30 L'ami du genre humain n'est point du tout mon fait.

PHILINTE. — Mais quand on est du monde, il faut bien que l'on rende
Quelques dehors civils que l'usage demande.

ALCESTE. — Non, vous dis-je, on devrait châtier, sans pitié,
Ce commerce honteux de semblants d'amitié.
35 Je veux que l'on soit homme, et qu'en toute rencontre
Le fond de notre cœur dans nos discours se montre,
Que ce soit lui qui parle, et que nos sentiments
Ne se masquent jamais sous de vains compliments.

PHILINTE. — Il est bien des endroits où la pleine franchise
40 Deviendrait ridicule et serait peu permise;
Et parfois, n'en déplaise à votre austère honneur,
Il est bon de cacher ce qu'on a dans le cœur.
Serait-il à propos et de la bienséance
De dire à mille gens tout ce que d'eux on pense?
45 Et quand on a quelqu'un qu'on hait ou qui déplaît,
Lui doit-on déclarer la chose comme elle est?

ALCESTE. — Oui.

PHILINTE. —   Quoi ? vous iriez dire à la vieille Émilie*
    Qu'à son âge il sied mal de faire la jolie,
    Et que le blanc qu'elle a scandalise chacun ?

50 ALCESTE. — Sans doute.

PHILINTE. —   À Dorilas, qu'il est trop importun,
    Et qu'il n'est, à la cour, oreille qu'il ne lasse
    À conter sa bravoure et l'éclat de sa race ?

ALCESTE. — Fort bien.

Molière, *Le Misanthrope*, Acte I, scène 1.

1. Déclaration par laquelle on affirme ses bons sentiments. — 2. Le vaniteux. —
3. Homme méprisable et impertinent.

*Molière, pour donner encore plus d'ampleur à la peinture des caractères, présente
fréquemment des portraits de personnages qui ne paraissent pas sur scène. Voir
notamment la scène I de l'acte I de *Tartuffe*.

La Belle plaideuse

ERGASTE. — Oui, trop injuste mère, il faut vous contenter.
    J'aime trop, ce mépris ne peut me rebuter.
    Hé quoi ! chère Nicette, au lieu de me défendre,
    Toi de qui j'attendais une amitié si tendre,
5   Quand tu vois qu'on m'insulte et qu'on rit de ma foi,
    Tu secondes l'outrage, et parles contre moi :
    Sans raison on me raille et picote[1] sans cesse ?

NICETTE. — Connaissez-vous pas bien l'humeur de ma maîtresse ?
    Monsieur, n'en accusez que ses maudits procès,
10   La fièvre trouble moins et cause moins d'accès :
    Tantôt nos chiens de clercs, je crois qu'ils étaient ivres,
    Montaient nos contredits[2] à quatre-vingt-dix livres,
    Je crois qu'ils les feront encor monter plus haut,
    Et sans argent contant menacent d'un défaut[3].*
15   Jugez si ce n'est pas pour nous mettre en colère :
    Pour supporter ces frais notre bourse est légère,
    Puis la dépense est telle à Paris aujourd'hui,
    Qu'enfin le plus aisé n'y vit pas sans ennui.

ERGASTE. — Nicette, j'allais dire à cette injuste femme
20 Que ses seuls intérêts inquiètent mon âme,
    Que j'ai chez le notaire envoyé Filipin,
    Où je crois que j'aurai de l'argent à la fin ;
    Que sa nécessité bien plus qu'elle me touche ;
    Mais elle m'a fermé trop brusquement la bouche,
25 Elle n'a pas daigné seulement m'écouter.

NICETTE. — C'était par là, Monsieur, qu'il fallait débuter,
    Vous auriez eu sans doute une longue audience ;
    Mais dans vos compliments on perdrait patience :
    Vous nous voyez chagrins, ainsi que des hiboux,
30 Et vous vous amusez à faire les yeux doux.
    Ma maîtresse a raison, j'ai vu votre faiblesse :
    Par ma foi, quand on voit que nécessité presse,
    Il faut avoir l'esprit bien chaussé de travers[4]
    Pour s'amuser encore à débiter des vers,
35 A faire des chansons, donner des sérénades.
    Si notre procureur se payait en gambades
    Et qu'il eût pris sa part de ces beaux passetemps,
    Vous auriez eu raison, nous serions tous contents.
    Mais, ma foi ! ces gens-là ne mâchent point à vide,
40 Comme dit ma maîtresse, il nous faut du solide ;
    Sur vos beaux bouts rimés dont on s'est bien moqué,
    Nous ne trouverions pas crédit d'un sol marqué[5].
    Cependant il faut vivre, entretenir ménage,
    Ce qui ne se fait point avec ce badinage :
45 Croyez-vous, nous poussant des soupirs si souvent,
    Qu'ainsi que des pluviers[6] nous nous passions de vent,
    Et que gens altérés plus qu'on ne saurait croire,
    S'apaisent par ces pleurs que vous nous faites boire ?
    Laissez là ces beaux mots, si doux, si mesurés,
50 C'est l'or seul qui fait vivre, et non les mots dorés ;
    Si vous n'en trouvez point par l'aide du notaire,
    Monsieur, dans ce logis vous n'avez rien à faire.

ERGASTE. — Va, j'en aurai, Nicette, et j'y cours de ce pas.
    Assures-en Argine, et ne me dessers pas.
55 Tiens , prends ces deux louis ; ce n'est rien qu'une avance,
    Tu recevras de moi meilleure récompense.

NICETTE. — Quoi ! j'en aurais encor ?

ERGASTE. —   Va, va ! cela t'est *hoc*[7].

NICETTE. — Ce que je vous disais n'est pas de mon estoc[8] ;
　　　　　　Monsieur, je ne suis pas si sotte ni si bête.
60　　　　　Je vous crois libéral, je vous crois fort honnête ;
　　　　　　Mais ma maîtresse croit que vous ne l'êtes point.
　　　　　　C'est un étrange esprit, il faut que sur ce point
　　　　　　Vous la désabusiez secourant sa famille ;
　　　　　　Elle en parlait tantôt assez bas à sa fille,
65　　　　　Et je faisais semblant de ne pas écouter.
　　　　　　A l'avenir, Monsieur, je vous veux tout conter :
　　　　　　On vous fait injustice, ayant un père riche,
　　　　　　On croit ses biens à vous, et l'on vous nomme chiche.

Boisrobert, *La Belle plaideuse*, Acte I, scène 3.

---

1. Me harcelle. — 2. Ecritures fournies dans un procès contre les écritures de l'adversaire.
— 3. Situation d'une partie qui n'est pas représentée dans un procès. — 4. Dérangé. —
5. Pièce de peu de valeur. — 6. Petits échassiers. — 7. Cela t'est profitable. — 8. De mon
esprit (= cela ne vient pas de moi).

*On pourra rapprocher ce recours au vocabulaire judiciaire et la satire de l'homme
de loi qu'il suppose, de la charge contenue dans *Les Plaideurs* (1668) de Racine.

Guide d'analyse

1. Le ton de ces deux passages est celui de la comédie
sérieuse. Des risques existent de voir se créer une trop grande
tension dramatique incompatible avec la tonalité comique. On
se demandera si les deux auteurs ont su éviter cet écueil.

2. Deux visions du monde s'opposent dans Le *Misanthrope*,
celle de Philinte et celle d'Alceste. Ne sont-elles pas caractéri-
sées l'une et l'autre par un certain excès ?

3. L'argent joue un grand rôle dans *La Belle plaideuse*. Vous
dégagerez, d'après le passage cité, sa fonction dramaturgique.
Comment se situe-t-elle par rapport à celle qui préside à la construction de *L'Avare* ?

4. Etudiez **l'art du portrait** dans les deux extraits.

5. Relevez, dans les deux passages, les éléments qui évoquent
la vie quotidienne au XVIIe siècle.

2. La comédie pamphlet

Les années 1660 voient se développer en France la comédie pamphlet, véhicule commode pour faire passer plaisamment justifications et attaques. La polémique a pour point de départ L'Ecole des femmes *que Molière crée en 1662. Pour répondre aux multiples reproches concernant aussi bien le fond que la forme de sa pièce, l'auteur fait jouer* La Critique de l'Ecole des femmes (1663). La riposte de Donneau de Visé avec* Zélinde *conduit Molière à contre-attaquer, et c'est* L'Impromptu de Versailles *auquel Donneau de Visé réplique à nouveau avec* La Réponse à L'Impromptu de Versailles ou La Vengeance des marquis, *personnages que Molière avait mis à mal.*

Dans L'Impromptu de Versailles (1663), *Molière donnait à ses acteurs des instructions pour jouer les rôles qu'il leur confiait : à la scène 4, Brécourt sera l'«homme de qualité», tenant du bon sens, La Grange le «marquis ridicule». A la scène 3 de* La Vengeance des marquis (1663), *Donneau de Visé met en scène Cléante, défenseur de Molière, qui s'oppose à Ariste, en présence d'Alcipe, «homme de qualité», d'Orphise, femme de Cléante et de sa nièce Lucille.*

Jean Donneau de Visé (1638-1710), outre ces œuvres polémiques, a écrit de nombreuses comédies de mœurs, dont La Veuve à la mode (1667) *et, en collaboration avec Thomas Corneille,* La Devineresse (1679).

L'Impromptu de Versailles

MOLIÈRE. — «Juge-nous un peu sur une gageure que nous avons faite.»

BRÉCOURT. — «Et quelle?

MOLIÈRE. — «Nous disputons qui est le marquis de *La Critique*[1] de Molière : il gage que c'est moi, et moi je gage que c'est lui.

5   BRÉCOURT. — «Et moi, je juge que ce n'est ni l'un ni l'autre. Vous êtes fous tous deux, de vouloir vous appliquer ces sortes de choses ; et voilà de quoi j'ouïs l'autre jour se plaindre Molière, parlant à des personnes qui le chargeaient[2] de même chose que vous. Il disait que rien ne lui donnait du déplaisir comme d'être accusé de regarder quelqu'un dans les portraits qu'il fait ; que son dessein est de peindre les mœurs sans vouloir toucher

10 aux personnes, et que tous les personnages qu'il représente sont des personnages en l'air, et des fantômes proprement, qu'il habille à sa fantaisie, pour réjouir les spectateurs ; qu'il serait bien fâché d'y avoir jamais mar-

qué qui que ce soit ; et que si quelque chose était capable de le dégoûter de faire des comédies, c'était les ressemblances qu'on y voulait toujours trouver, et dont ses ennemis tâchaient malicieusement d'appuyer la pensée, pour lui rendre de mauvais offices auprès de certaines personnes à qui il n'a jamais pensé. Et en effet je trouve qu'il a raison ; car pourquoi vouloir, je vous prie, appliquer tous ses gestes et toutes ses paroles, et chercher à lui faire des affaires en disant hautement : « Il joue un tel », lorsque ce sont des choses qui peuvent convenir à cent personnes ? Comme l'affaire de la comédie est de représenter en général tous les défauts des hommes, et principalement des hommes de notre siècle, il est impossible à Molière de faire aucun caractère qui ne rencontre quelqu'un dans le monde ; et s'il faut qu'on l'accuse d'avoir songé toutes les personnes où l'on peut trouver les défauts qu'il peint, il faut sans doute qu'il ne fasse plus de comédies.*

MOLIÈRE. — « Ma foi, Chevalier, tu veux justifier Molière, et épargner notre ami que voilà.

LA GRANGE. — « Point du tout. C'est toi qu'il épargne, et nous trouverons d'autres juges.

MOLIÈRE. — « Soit. Mais, dis-moi, Chevalier, crois-tu pas que ton Molière est épuisé maintenant, et qu'il ne trouvera plus de matière pour... ?

BRÉCOURT. — « Plus de matière ? Eh ! mon pauvre Marquis, nous lui en fournirons toujours assez, et nous ne prenons guère le chemin de nous rendre sages pour tout ce qu'il fait et tout ce qu'il dit. »

MOLIÈRE. — Attendez, il faut marquer davantage tout cet endroit. Écoutez-le-moi dire un peu. « Et qu'il ne trouvera plus de matière pour... — Plus de matière ? Hé ! mon pauvre Marquis, nous lui en fournirons toujours assez, et nous ne prenons guère le chemin de nous rendre sages pour tout ce qu'il fait et tout ce qu'il dit. Crois-tu qu'il ait épuisé dans ses comédies tout le ridicule des hommes ? Et, sans sortir de la cour, n'a-t-il pas encore vingt caractères de gens où il n'a point touché ? N'a-t-il pas, par exemple, ceux qui se font les plus grandes amitiés du monde, et qui, le dos tourné, font galanterie de se déchirer l'un l'autre ? N'a-t-il pas ces adulateurs à outrance, ces flatteurs insipides, qui n'assaisonnent d'aucun sel les louanges qu'ils donnent, et dont toutes les flatteries ont une douceur fade qui fait mal au cœur à ceux qui les écoutent ? N'a-t-il pas ces lâches courtisans de la faveur, ces perfides adorateurs de la fortune, qui vous encensent dans la prospérité et vous accablent dans la disgrâce ? N'a-t-il pas ceux qui sont toujours mécontents de la cour, ces suivants inutiles, ces incommodes assidus, ces gens, dis-je, qui pour services ne peuvent compter que des importunités, et qui veulent que l'on les récompense d'avoir

55 obsédé le Prince dix ans durant ? N'a-t-il pas ceux qui caressent également tout le monde, qui promènent leurs civilités à droite et à gauche, et courent à tous ceux qu'ils voient avec les mêmes embrassades et les mêmes protestations d'amitié ? »

Molière, *L'Impromptu de Versailles*, scène 4.

1. Allusion à *La Critique de L'Ecole des femmes*. — 2. Qui l'accusaient.

* En affirmant que, dans ses comédies, il ne convient pas de chercher la peinture d'un individu particulier, Molière s'efforce de désarmer les oppositions. Mais, plus profondément, il exprime là une exigence théâtrale : pour être efficace, pour passer la rampe, une pièce doit grossir les faits et, par conséquent, adopter un parti synthétique en cumulant des données diverses issues de la réalité.

La Vengeance des marquis

ORPHISE. — Enfin, Monsieur, je viens de voir (puisque vous l'avez voulu) cet admirable Impromptu¹, cet ouvrage de plusieurs années que l'on veut faire passer pour un enfant de huit jours ; ou plutôt, je viens de voir l'amende honorable que le Peintre², votre bon ami, vient de faire aux 5 marquis.

CLÉANTE. — Que voulez-vous dire par-là ?

ORPHISE. — Je veux dire qu'il fait réparation à celui que l'on avait soupçonné d'être le marquis de la *Critique*³, et qu'il déclare qu'il n'a entendu jouer personne, et que tous les personnages qu'il fait paraître sur la scène 10 sont des idées prises en l'air, et tirées de son imagination.

ARISTE. — Il aime bien à se contredire, puisque dans un autre endroit il dit qu'il peint d'après nature, et que les portraits qu'il fait voir ressemblent tellement aux originaux que chacun s'y reconnaît d'abord.*

CLÉANTE. — La passion vous fait parler. Mais sachons le sentiment de ma 15 nièce ; je gagerais qu'elle s'y est bien divertie.

LUCILLE. — Je vous assure en vérité, mon oncle, que je me suis autant divertie avant que les chandelles fussent allumées que lorsqu'elles l'ont été. Il me souvient, pourtant, que l'on y parle bien des fois de marquis. Il y avait auprès de nous une jeune fille qui disait que l'on lui en voulait 20 faire épouser un ; mais que depuis qu'elle les avait vu jouer, elle n'en voulait point. Ils sont toutefois bien mignons, et bien propres : il faut qu'elle soit bien dégoûtée, car, en vérité, c'est une jolie chose qu'un marquis. L'on m'en a montré plusieurs qui étaient auprès de celui qui les contrefaisait, et je ne pouvais m'imaginer comment il osait se moquer d'eux ; mais je me suis souvenue qu'il leur en avait peut-être demandé la permission.

ALCIPE. — Enfin, Mademoiselle, les marquis vous ont plu davantage que la comédie.

LUCILLE. — Je trouve qu'ils sont bien faits, et bien aimables ; et ce qui me les fait estimer, c'est qu'ils ont l'humeur bien douce, puisqu'ils souffrent que l'on se moque d'eux.

CLÉANTE, *à Ariste à part*. — Comme elle ne sait pas encore ce que c'est que le monde, elle ne peut pas connaître encore le fin d'un ouvrage. Mais *(haut)*, dis-moi, as-tu jamais rien vu de mieux imaginé que l'endroit où il dit qu'il abandonne son jeu, ses pièces, ses habits, et qu'il ne répondra plus[4] ?

ARISTE. — Comment diable voulez-vous qu'il réponde, puisqu'il lui faut dix-huit mois pour faire des Impromptus. Il ne travaille pas si vite, et comme ses enfants ont plus d'un père, quand il abandonne son jeu, son esprit, ses habits, et ses ouvrages, il sait bien ce qu'il fait, et n'abandonne rien du sien. Personne n'ignore qu'il sut bien retourner des vers en prose en faisant la *Critique*, et que plusieurs de ses amis ont fait des scènes aux *Fâcheux*[5] ? C'est pourquoi, si M. Boursault[6] lui répond, il lui pourra dire plus justement que le Parnasse s'assemble, lorsqu'il veut faire quelque chose.

CLÉANTE. — Je vous assure qu'il n'y a personne qui ose entreprendre de lui répondre : il est trop redoutable, et ses amis sont en trop grand nombre.

ALCIPE. — Pourvu que l'on soit aussi hardi que lui, l'on pourra...

CLÉANTE. — Le téméraire s'en pourrait repentir.

ORPHISE. — Est-il de meilleure maison que les marquis ? Et défendra-t-on de jouer celui qui joue tout le monde ?

CLÉANTE. — Malheur à qui le jouera !

ARISTE. — Mais...

CLÉANTE. — Que l'on ne l'échauffe pas.

ARISTE. — On n'a garde, on sait qu'il est trop prudent, et que sa réponse ne marque point d'animosité.

CLÉANTE. — Qu'on ne le joue pas, encore un coup, ou bien l'on verra...

ARISTE. — Il est vrai qu'il pourra peut-être, avec un peu d'adresse, empêcher secrètement ce qu'il craint, et que quelque marquis, dont il se sera
60 fait un ami, en le jouant, détournera ce coup. Mais quelque grande appréhension qu'il montre, il ne doit rien craindre, puisqu'on ne lui peut rien
reprocher.

ALCIPE. — On pourrait le faire voir sur le théâtre de l'Hôtel de Bourgogne, lorsqu'il vint voir son portrait[7].

65 ORPHISE. — C'est un des beaux endroits de sa vie.

CLÉANTE. — C'en est un en effet. Un jeune homme aurait-il eu cette har-
diesse ? C'est montrer un courage intrépide.

ARISTE. — Comme il est accoutumé à se louer lui-même, il dit qu'il n'y a
été que pour goûter la gloire que l'on reçoit, lorsque l'on voit approuver
70 ses ouvrages.

ORPHISE. — S'il est ainsi, il a tort de se plaindre du mal que l'on dit de lui,
et il devrait plutôt faire des remerciements à l'auteur, et aux comédiens,
que de leur dire des injures.

Donneau de Visé, *La Vengeance des marquis*, scène 3.

---

1. Il s'agit évidemment de *L'Impromptu de Versailles* de Molière. — 2. Surnom donné
à Molière. — 3. *La Critique de l'Ecole des femmes.* — 4. Allusion à un passage de la
scène 5 de *L'Impromptu de Versailles.* — 5. Il s'agit d'une pièce de Molière. — 6. Adversaire de Molière. — 7. Allusion à la représentation du *Portrait du peintre* de Boursault.

Guide d'analyse

1. Les petits marquis. Les deux extraits font allusion à ces
personnages suffisants et apprêtés que Molière a fréquemment
ridiculisés dans ses pièces. D'après ce qui en est dit dans ces
deux textes, il est possible de dégager les caractères principaux
de ce type pittoresque. On pourra ensuite les vérifier, en relevant et en analysant les exemples contenus dans les comédies
de Molière.

2. Brécourt soutient que Molière s'efforce de peindre les
mœurs sans toucher aux personnes. Il serait intéressant, après
avoir étudié cette argumentation, de voir ce qui en est fait dans
la réponse de Donneau de Visé.

3. Auteur, comédien, directeur d'acteurs : ces deux
extraits fournissent des renseignements intéressants sur les
méthodes utilisées par Molière dans ces trois fonctions. Vous
essaierez de les reconstituer.

3. Le comique de mots

La comédie du XVIIe siècle qui accorde, en général, une grande importance au texte, fait naturellement place au comique de mots. Dans Les Précieuses ridicules *(1659), Molière, pour dénoncer le langage apprêté alors à la mode, ·exploite ce registre comique rehaussé par un comique de situation : La Grange et Du Croisy sont repoussés par les précieuses Magdelon et Cathos qui refusent ces prétendants soutenus par Gorgibus, père et oncle des deux jeunes filles, sous prétexte qu'ils ne sont pas des amants suffisamment romanesques. Pour se venger, ils enverront leurs valets Mascarille et Jodelet, déguisés en petits marquis précieux, faire leur cour. Ils seront bien accueillis par les deux précieuses, fort dépitées lorsqu'elles apprendront la vérité.*

*Le Parasite (1653) développe, à plusieurs reprises, un comique de mots dans le cadre de l'intrigue à l'italienne épicée de romanesque : Lucinde et Lisandre s'aiment ; le faux brave Matamore est le rival du jeune homme. Le parasite Fripesauces conseille à Lisandre de se faire passer pour Sillare, fils de Manille (la mère de Lucinde), enlevé avec son père par des corsaires ; ainsi pourra-t-il approcher celle qu'il aime. Mis au courant, le Matamore réplique en demandant à un passant de jouer le rôle du père Alcidor. Il se trouve que l'homme ainsi sollicité est justement Alcidor qui fait arrêter l'usurpateur Lisandre. Mais, instruit de sa naissance, il consent enfin au mariage. L'auteur de cette comédie rocambolesque, **François Tristan L'Hermite (1601-1655)**, a surtout écrit des tragédies de haute tenue.*

Voici la langue contournée utilisée par Magdelon, Cathos et Mascarille, puis le jeu sur les mots auquel se livre Fripesauces que la servante Phénice essaie de rallier à la cause de Lucinde et de Lisandre.

Les Précieuses ridicules

MASCARILLE, *après avoir salué*. — Mesdames, vous serez surprises, sans doute, de l'audace de ma visite ; mais votre réputation vous attire cette méchante affaire, et le mérite a pour moi des charmes si puissants, que je cours partout après lui.

MAGDELON. — Si vous poursuivez le mérite, ce n'est pas sur nos terres que vous devez chasser.

CATHOS. — Pour voir chez nous le mérite, il a fallu que vous l'y ayez amené.

MASCARILLE. — Ah ! je m'inscris en faux contre vos paroles. La renom-

10 mée accuse juste en contant ce que vous valez ; et vous allez faire pic,
repic et capot[1] tout ce qu'il y a de galant dans Paris.

MAGDELON. — Votre complaisance pousse un peu trop avant la libéralité
de ses louanges ; et nous n'avons garde, ma cousine et moi, de donner de
notre sérieux dans le doux de votre flatterie.

15 CATHOS. — Ma chère, il faudrait faire donner des sièges.

MAGDELON. — Holà, Almanzor !

ALMANZOR. — Madame.

MAGDELON. — Vite, voiturez-nous ici les commodités de la conversation.

MASCARILLE. — Mais au moins, y a-t-il sûreté ici pour moi ?

20 CATHOS. — Que craignez-vous ?

MASCARILLE. — Quelque vol de mon cœur, quelque assassinat de ma
franchise[2]. Je vois ici des yeux qui ont la mine d'être de fort mauvais gar-
çons, de faire insulte aux libertés, et de traiter une âme de Turc à More[3].
Comment diable, d'abord qu'on les approche, ils se mettent sur leur
25 garde meurtrière ? Ah ! par ma foi, je m'en défie, et je m'en vais gagner au
pied[4], ou je veux caution bourgeoise[5] qu'ils ne me feront point de mal.

MAGDELON. — Ma chère, c'est le caractère enjoué.

CATHOS. — Je vois bien que c'est un Amilcar[6].

MAGDELON. — Ne craignez rien : nos yeux n'ont point de mauvais des-
30 seins, et votre cœur peut dormir en assurance sur leur prud'homie.

CATHOS. — Mais de grâce, Monsieur, ne soyez pas inexorable à ce fau-
teuil qui vous tend les bras il y a un quart d'heure ; contentez un peu
l'envie qu'il a de vous embrasser.

MASCARILLE, *après s'être peigné et avoir ajusté ses canons.* — Eh bien, Mes-
35 dames, que dites-vous de Paris ?

MAGDELON. — Hélas ! qu'en pourrions-nous dire ? Il faudrait être l'anti-
pode de la raison, pour ne pas confesser que Paris est le grand bureau des
merveilles, le centre du bon goût, du bel esprit et de la galanterie.

MASCARILLE. — Pour moi, je tiens que hors de Paris, il n'y a point de salut
40 pour les honnêtes gens.

CATHOS. — C'est une vérité incontestable.

MASCARILLE. — Il y fait un peu crotté ; mais nous avons la chaise.

MAGDELON. — Il est vrai que la chaise est un retranchement merveilleux contre les insultes de la boue et du mauvais temps.

MASCARILLE. — Vous recevez beaucoup de visites : quel bel esprit est des vôtres ?

MAGDELON. — Hélas ! nous ne sommes pas encore connues ; mais nous sommes en passe de l'être, et nous avons une amie particulière qui nous a promis d'amener ici tous ces Messieurs du *Recueil des pièces choisies*[7].

CATHOS. — Et certains autres qu'on nous a nommés aussi pour être les arbitres souverains des belles choses.

MASCARILLE. — C'est moi qui ferai votre affaire mieux que personne : ils me rendent tous visite ; et je puis dire que je ne me lève jamais sans une demi-douzaine de beaux esprits.

Molière, *Les Précieuses ridicules*, scène 9.

1. Marquer, au jeu de piquet, un grand nombre de points. — 2. Liberté. — 3. Agir envers quelqu'un avec la dernière rigueur. — 4. Prendre la fuite. — 5. Un répondant. — 6. Personnage de l'ouvrage romanesque *Clélie* de Mademoiselle de Scudéry. — 7. Recueil de pièces de théâtre.

> Le procédé du déguisement est fréquent dans le théâtre du XVIIe siècle. Il introduit un deuxième niveau théâtral : à l'intérieur de la fiction principale de la pièce prend place une fiction au second degré constituée par le rôle que joue le personnage ainsi déguisé.

Le Parasite

FRIPESAUCES. — Ha ! Phénice ! c'est toi !

PHÉNICE. — Toi, n'es-tu plus toi-même ?

FRIPESAUCES. — Que ton nez aussi bien n'est-il un pied de veau !
Je serais fort habile à torcher ton museau.
Si tes deux yeux étaient deux pâtés de requête[1],
Je ficherais bientôt mes ongles dans ta tête.
Et si ton scoffion[2] avait tous les appas
D'une ruelle de veau, bien cuite entre deux plats,
En l'humeur où je suis, Phénice, je te jure
Que j'aurais tout à l'heure avalé ta coiffure.

PHÉNICE. — Quoi ! manger si matin ! L'appétit furieux !

FRIPESAUCES. — Ma bouche à mon réveil s'ouvre devant mes yeux.
Bride cet appétit d'une raison meilleure ;
Je voudrais être aveugle et manger à toute heure.

PHÉNICE. — Ecoute donc un peu.

FRIPESAUCES. —   Que me veux-tu donner ?

15 PHÉNICE. — Parlons d'un grand secret.

FRIPESAUCES. —   Parlons de déjeuner.

PHÉNICE. — Il serait question de faire un prompt message.

FRIPESAUCES. — Il serait question de manger un potage,
D'une pièce de bœuf se dégraisser les dents,
Et mettre avec loisir des meubles là-dedans.

20 PHÉNICE. — Si tu savais comment notre Lucinde pleure,
Et ce qu'elle m'a dit encor depuis une heure
Sur ses affections, je te jure ma foi
Que tu pourrais pleurer comme elle et comme moi.

FRIPESAUCES. — Je te jure ma foi que ma panse est plus sèche
25   Que n'est une allumette, une éponge, une mèche,
Et qu'en un alambic³ très difficilement
On en pourrait tirer deux larmes seulement.

PHÉNICE. — Écoute ce qu'il faut que tu die à Lisandre :
Il doit être arrivé.

FRIPESAUCES. —   Je ne saurais l'entendre.
30   Si je n'ai comme il faut fait jouer le menton,
Ce qu'on dit en français me semble bas-breton,
Je me trouve assoupi, je bâille, je m'allonge,
Et prends un entretien pour l'image d'un songe.

PHÉNICE. — Je vais donc te quérir d'un certain reliquat.

35 FRIPESAUCES. — Qu'il soit bien relevé, car mon ventre est bien plat :
Et surtout souviens-toi de remplir la bouteille.
Oh ! je crois que ma faim n'eut jamais de pareille !
Je sens dans mes boyaux plus de deux millions
De chiens, de chats, de rats, de loups et de lions,
40   Qui présentent leurs dents, qui leurs griffes étendent
Et, grondant à toute heure, à manger me demandent.
J'ai beau dedans ce gouffre entasser jour et nuit,
Pour assouvir ma faim je travaille sans fruit.
Un grand jarret de veau nageant sur un potage,

45   Un gigot de mouton, un cochon de bon âge,
     Une langue de bœuf, deux ou trois saucissons,
     Dans ce creux estomac, soufflés, sont des chansons.
     Un flacon d'un grand vin, d'un beau rubis liquide,
     Sitôt qu'il est passé laisse ma langue aride ;
50   Je la tire au dehors, le poumon tout pressé,
     Comme les chiens courants après qu'ils ont chassé.
     Un nouvel hipocras[4], je veux dire Hippocrate[5],
     Qui la tête souvent de ses ongles se gratte,
     Et, pour gagner le bruit de fameux médecin,
55   Touche souvent du nez au bourlet d'un bassin,
     Dit assez que ma faim est une maladie,
     Mais il ignore encor comme on y remédie.
     Ces discours importuns ne font que l'irriter ;
     Je vois que c'est un mal difficile à traiter.
60   Quand j'aurais avalé cent herbes, cent racines,
     Reçu vingt lavements, humé vingt médecines,
     Qui me feraient aller et par haut et par bas,
     Je me connais fort bien, je n'en guérirais pas.

Tristan L'Hermite, *Le Parasite*, Acte I, scène 3.

1. Petits pâtés froids. — 2. Ton bonnet. — 3. Appareil servant à la distillation. — 4. Boisson à la mode au XVIIe siècle. — 5. Médecin grec célèbre.

En dehors du jeu sur les mots, cette scène exploite le comique provoqué par le caractère mécanique des réactions humaines : enfermé dans son obsession alimentaire, Fripesauces traduit tout en termes de cuisine.

Eléments d'analyse linéaire

Les Précieuses ridicules, scène 9, lignes 1 à 18.

Situation et présentation du passage.

Cette scène 9 des *Précieuses ridicules* se situe à un moment crucial de la pièce, avec le début du scénario imaginé par La Grange et Du Croisy, amants rebutés, pour se venger des précieuses Magdelon et Cathos. A la scène précédente, le valet de La Grange, Mascarille, qui se fait passer pour marquis, a été introduit. Il est chargé de jouer le bel esprit, pour ridiculiser les deux jeunes femmes. Elles le rejoignent et c'est la prise de contact en deux temps : les civilités d'usage (lignes l à 14), puis l'offre d'un siège par les maîtresses de maison (lignes 15 à 18).

1. Un assaut de politesse (lignes 1 à 14).

La première partie du texte est marquée par le développement d'une surenchère de politesse et de modestie. Mascarille débute par une véritable salve de civilités. Il salue («après avoir salué») certainement de façon exagérée, ce qui permet le développement d'un comique gestuel. Il utilise le terme «Mesdames» qui, à l'époque, relève du langage emphatique des romans. Il se rabaisse, en soulignant «l'audace» de sa visite qu'il qualifie de «méchante affaire». Il montre ainsi la valeur qu'il accorde aux deux jeunes filles. Il le confirme en les couvrant d'éloges dithyrambiques («votre réputation»; «le mérite»; «charmes si puissants»). Cette exagération, qui relève de l'hyperbole, constitue un trait du langage précieux. Avec «(...) je cours partout après lui», Mascarille a recours à un autre procédé de la préciosité, en associant un élément concret («je cours») et un élément abstrait («le mérite»). Magdelon et Cathos se prêtent au jeu, en faisant assaut de modestie et en prolongeant l'image de la poursuite du mérite au profit de leur invité. La bataille continue avec les protestations de Mascarille qui donne dans le langage imagé à la mode, en utilisant successivement des termes judiciaires («Je m'inscris en faux»), puis des termes du jeu de piquet («pic, repic et capot»). Et la guerre s'achève sur les marques d'incrédulité de Magdelon qui, à nouveau, allie concret et abstrait («Donner... flatterie»).

2. Une offre précieuse (lignes 15 à 18).

Le second mouvement, beaucoup plus rapide, confirme la préciosité de Magdelon et de Cathos, avec le nom même d'Almanzor sorti tout droit des romans à la mode et le recours à la métaphore «les commodités de la conversation», pour désigner les sièges.

Conclusion.

Ce passage constitue une charge contre la préciosité, contre l'affectation et l'exagération qui la caractérisent. Sous le comique né des mots et des attitudes, s'affirme une philosophie faite de bon sens et de modération, ennemie de l'artifice et de l'excès.

4. Le burlesque

Molière, conscient de l'efficacité théâtrale du jeu burlesque qui crée des rapports dynamiques, a fait fréquemment appel à ce type d'écriture. Ainsi, dans Dom Juan *(1665), il fait cohabiter tension et bouffonneries, tonalité «sérieuse» propre au séducteur et registre farcesque prêté au confident, le valet Sganarelle. Cette pièce, qui pose les rapports entre ordre et désordre, idéologie dominante et idéologie marginale, valut de nombreux ennuis à Molière. Le schéma en est fort complexe : le fil conducteur, c'est l'errance de Dom Juan et de Sganarelle qui, au hasard de leurs rencontres, seront amenés à prendre position face à l'amour, avec Elvire, épouse délaissée, avec la fiancée et les paysannes, éventuels objets de conquête ; face à l'honneur, avec Gusman, écuyer d'Elvire, avec Dom Carlos et Dom Alonse, les deux beaux-frères, avec Dom Louis, le père ; face à l'argent, avec le bourgeois Monsieur Dimanche ; face à Dieu, avec le pauvre ermite, avec la statue du commandeur, qui, symbole de l'ordre établi, éliminera finalement Dom Juan.*

Le sujet de Dom Japhet d'Arménie *(1647) est moins ambitieux : Dom Alphonse, pour rejoindre Léonore, qu'il aime, s'est mis au service de Dom Japhet, bouffon de l'Empereur enrichi et anobli, qui est également amoureux de la jeune fille. Par ailleurs, Elvire, la sœur de Dom Alphonse, aime Dom Alvare. Tous les obstacles seront surmontés et les mariages conclus.* **Paul Scarron** *(1610-1660), qui passe pour le maître du burlesque, a laissé une œuvre théâtrale considérable inspirée des auteurs espagnols. C'est à lui que l'on doit la mise au point du valet Jodelet, trivial, goulu et poltron. Parmi ses comédies, on peut citer* Jodelet, ou Le Maître-valet *(1643),* Jodelet duelliste *(1645),* La Fausse apparence *(1657).*

L'opposition burlesque apparaît nettement : dans ce passage de Dom Juan *où, à l'ambiance tragi-comique du combat que vient de mener Dom Juan et au ton tragique créé par le tombeau que découvrent les deux hommes, s'opposent les facéties de Sganarelle ; dans cet extrait de* Dom Japhet d'Arménie, *où le paysan Jean Vincent, en présence de Dom Japhet, de Dom Alphonse, du gentilhomme Rodrigue, du bailli et des deux serviteurs Foucaral et Marine, conte comment il a jadis recueilli Léonore, la nièce du commandeur.*

Dom Juan

DOM JUAN. — Holà, hé, Sganarelle !

SGANARELLE. — Plaît-il ?

DOM JUAN. — Comment ? coquin, tu fuis quand on m'attaque ?

SGANARELLE. — Pardonnez-moi, Monsieur ; je viens seulement d'ici près.
5 Je crois que cet habit est purgatif, et que c'est prendre médecine[1] que de le
porter.

DOM JUAN. — Peste soit l'insolent ! Couvre au moins ta poltronnerie d'un
voile plus honnête.(...)

SGANARELLE. — Voici la statue du Commandeur[2].

10 DOM JUAN. — Parbleu ! le voilà bon, avec son habit d'empereur romain !

SGANARELLE. — Ma foi, Monsieur, voilà qui est bien fait. Il semble qu'il
est en vie, et qu'il s'en va parler. Il jette des regards sur nous qui me
feraient peur, si j'étais tout seul, et je pense qu'il ne prend pas plaisir de
nous voir.

15 DOM JUAN. — Il aurait tort, et ce serait mal recevoir l'honneur que je lui
fais. Demande-lui s'il veut venir souper avec moi.

SGANARELLE. — C'est une chose dont il n'a pas besoin, je crois.

DOM JUAN. — Demande-lui, te dis-je.

SGANARELLE. — Vous moquez-vous ? Ce serait être fou que d'aller parler
20 à une statue.

DOM JUAN. — Fais ce que je te dis.

SGANARELLE. — Quelle bizarrerie ! Seigneur Commandeur... je ris de ma
sottise, mais c'est mon maître qui me la fait faire. Seigneur Commandeur,
mon maître Dom Juan vous demande si vous voulez lui faire l'honneur de
25 venir souper avec lui. (*La Statue baisse la tête.*) Ha !

DOM JUAN. — Qu'est-ce ? qu'as-tu ? Dis donc, veux-tu parler ?

SGANARELLE *fait le même signe que lui a fait la Statue et baisse la tête.* — La
Statue...

DOM JUAN. — Eh bien ! que veux-tu dire, traître ?

30 SGANARELLE. — Je vous dis que la Statue...

DOM JUAN. — Eh bien ! la Statue ? je t'assomme, si tu ne parles.

SGANARELLE. — La Statue m'a fait signe.

DOM JUAN. — La peste le coquin !

SGANARELLE. — Elle m'a fait signe, vous dis-je : il n'est rien de plus vrai.
35 Allez-vous-en lui parler vous-même pour voir. Peut-être...

DOM JUAN. — Viens, maraud, viens, je te veux bien faire toucher au doigt ta poltronnerie. Prends garde. Le Seigneur Commandeur voudrait-il venir souper avec moi ?
(La Statue baisse encore la tête.)

Molière, *Dom Juan*, Acte III, scène 5.

---

1. Sganarelle a revêtu un habit de médecin. — **2.** Il s'agit du commandeur que Dom Juan a jadis tué.

> Le traitement du lieu dans *Dom Juan* s'éloigne notablement des règles classiques. Le décor change à chaque acte. Par ailleurs, comme c'est souvent le cas dans la tragi-comédie préclassique, l'action de l'acte IV introduit les personnages en marche. Après avoir cheminé dans une forêt, ils arrivent devant le tombeau du Commandeur que Dom Juan a jadis tué.

Dom Japhet d'Arménie

DOM JAPHET, *à Léonore.*
         — Adorable beauté, qui d'une seule œillade
            Avez d'un homme sain fait un homme malade,
            Puisque le Commandeur peut disposer de vous,
            Jetez les yeux sur moi, vous verrez votre époux.

DOM ALPHONSE, *à part.*
5   — Dieu m'en veuille garder !

FOUCARAL. —   Et vous, belle Marine,
            Dom Foucaral peut-il, en vertu de sa mine,
            D'un esprit sans pareil, et d'un corps sans égal,
            Multiplier par vous le nom de Foucaral ?

MARINE. — Le nom de Foucaral ? qui, moi ? laquais immonde.
10   Assez de Foucarals sans moi sont dans le monde.

DOM JAPHET. — Vous m'aimerez bien fort ?

LÉONORE. —   Plus qu'on ne peut penser.

FOUCARAL, *à Marine.*
         — Ton bel œil m'a blessé.

MARINE. —   Va te faire panser.

LE BAILLI. — Mais, notre ami Vincent, où l'aviez-vous trouvée ?

JEAN VINCENT. — Je vous dirai comment la chose est arrivée.
15   A la cour de Madrid, où m'avait appelé
Un malheureux procès pour un cheval volé,
Une vieille duègne[1], un jour dans une église,
Me demanda mon nom. Avec grande franchise,
Je lui dis que j'étais un laboureur d'Orgas,
20   Appelé Jean Vincent. La vieille parlant bas :
« Trouvez-vous, vers le soir, en tel lieu, me dit-elle ;
C'est pour votre profit, si vous êtes fidèle. »
A ce mot de profit, jugez si je manquai
De me trouver au lieu qu'on m'avait indiqué !
25   Je n'y manquai donc pas. La vieille gouvernante
S'y trouva devant moi, plus que moi diligente :
Elle mit dans mes mains un beau petit enfant
Qui n'avait pas un jour ; et de plus, de l'argent.
L'enfant était paré d'une chaîne massive.
30   Je ne refusai rien, et la duègne craintive,
M'ayant recommandé le secret, s'en alla.
L'enfant est justement la dame que voilà :
Je crois, par son moyen, que ma fortune est faite,
Comme on me l'a promis, la chose étant secrète.
35   Or, la chaîne, messieurs, n'était pas de laiton :
Elle était d'or ducat[2] du poids d'un quarteron[3].
Ma femme...*

DOM JAPHET. —   Taisez-vous : il ne m'importe guère
Si votre chaîne était ou pesante ou légère.
(A Rodrigue)   Cavalier, vous direz au seigneur Commandeur
40   Que le noble Japhet est fort son serviteur,
Et qu'il se réjouit que son nom soit Tolède ;
Qu'en noblesse ici-bas le roi même me cède,
Car je suis dom Japhet, de Noé petit-fils :
D'Arménie est mon nom, par un ordre préfix[4],
45   Qu'avant sa mort laissa ce fameux patriarche,
Parce qu'en Arménie un mont reçut son arche.
Dites-lui que je puis avec lui m'allier,
Puisque sa nièce et moi sommes à marier,
Qu'à cause de mon deuil[5] il serait peu honnête
50   Que j'allasse chez lui sitôt troubler la fête,
Et que, par bienséance, il le faudra laisser
Quelque temps tout son soûl sa nièce caresser.
Dites-lui que j'irai le trouver en personne ;

Et malheur pour Orgas, puisque je l'abandonne!
55   Partez.

Scarron, *Dom Japhet d'Arménie*, Acte II, scène 2.

---

1. Gouvernante espagnole. — **2.** En or pur, comme la pièce appelée ducat. — **3.** Le quart d'une livre. — **4.** Déterminé. — **5.** La femme de Dom Japhet est morte depuis peu.

* Contrairement à la tradition comique de l'époque, le paysan Jean Vincent s'exprime dans un français correct. La langue qu'il utilise contraste avec le patois auquel ont recours par exemple Gareau du *Pédant joué* de Cyrano de Bergerac ou Pierrot du *Dom Juan* de Molière.

Guide d'analyse

1. Dans le premier texte figure le valet Sganarelle, dans le second prennent place les serviteurs Foucaral et Marine. Vous montrerez comment leur confrontation avec les personnages nobles est créatrice de **burlesque**.

2. *Dom Japhet d'Arménie* est construit tout en oppositions. Vous relèverez et analyserez les contradictions qui le divisent.

3. **L'ironie** constitue un mode d'appréhension qui exploite également les oppositions. Vous étudierez, sous cet angle, l'ironie de Dom Juan.

4. **Le romanesque espagnol** d'essence picaresque est à la fois présent dans les thèmes développés et dans l'expression de ces deux pièces. On s'appliquera à le montrer.

5. La farce

Molière n'a cessé, durant toute sa carrière, d'utiliser le registre farcesque auquel il a conféré ses lettres de noblesse. L'exploitant jusque dans ses comédies les plus sérieuses, comme Tartuffe *ou* Dom Juan, *ce qui lui permet de rompre une tension dramatique parfois trop forte, il lui donne un développement particulièrement important dans* Les Fourberies de Scapin *(1671).*

Ce ton qu'il remet à la mode marque aussi fortement l'écriture du Jaloux invisible *(1666) : Isabelle et le marquis éprouvent l'un pour l'autre de tendres sentiments, ce qui suscite chez le mari Carizel une grande jalousie. Marin, le valet du marquis, se fait passer pour magicien et donne à Carizel un bonnet qui est censé rendre invisible celui qui le porte. Il croira ainsi surprendre une conver-*

sation entre sa femme et le marquis qui, à sa grande satisfaction, affirmera n'éprouver aucune passion pour elle. **Guillaume de Marcoureau, dit Brécourt** *(1638-1685), était à la fois comédien et auteur. Il a écrit de nombreuses comédies, parmi lesquelles* La Feinte mort de Jodelet *(1659) et* L'Ombre de Molière *(1674), curieuse pièce où Molière, aux Enfers, est confronté à plusieurs de ses personnages.*

A la scène 2 de l'acte III des Fourberies de Scapin, *le valet convainc Géronte de s'enfermer dans un sac pour échapper à de prétendus ennemis. A la scène 3 de l'acte II du* Jaloux invisible, *Marin met son prétendu pouvoir au service de Carizel auquel il fait contempler plusieurs apparitions.*

Les Fourberies de Scapin

SCAPIN *lui remet la tête dans le sac.* — Prenez garde. En voici un autre qui a la mine d'un étranger. « Parti ! moi courir comme une Basque, et moi ne pouvre point troufair de tout le jour sti tiable de Gironte ? » Cachez-vous bien. « Dites-moi un peu fous, Monsir l'homme, s'il ve plaist, fous savoir
5   point où l'est sti Gironte que moi cherchair ? » Non, Monsieur, je ne sais point où est Géronte. « Dites-moi-le vous frenchemente, moi li fouloir pas grande chose à lui. L'est seulemente pour li donnair un petite régale sur le dos d'un douzaine de coups de bastonne, et de trois ou quatre petites coups d'épée au trafers de son poitrine. » Je vous assure, Monsieur, que je
10 ne sais pas où il est. « Il me semble que j'y foi remuair quelque chose dans sti sac. » Pardonnez-moi, Monsieur. « Li est assurémente quelque histoire là tetans. » Point du tout, Monsieur. « Moi l'avoir enfie de tonner ain coup d'épée dans ste sac. » Ah ! Monsieur, gardez vous-en bien. « Montre-le-moi un peu fous ce que c'estre là. » Tout beau, Monsieur. « Quement ?
15 tout beau ? » Vous n'avez que faire de vouloir voir ce que je porte. « Et moi, je le fouloir foir, moi. » Vous ne le verrez point. « Ahi que de badinemente ! » Ce sont hardes qui m'appartiennent. « Montre-moi fous, te dis-je. » Je n'en ferai rien. « Toi ne faire rien ? » Non. « Moi pailler de ste bastonne dessus les épaules de toi. » Je me moque de cela. « Ah ! toi faire
20 le trole. » Ahi, àhi, ahi ; ah, Monsieur, ah, ah, ah, ah. « Jusqu'au refoir : l'estre là un petit leçon pour li apprendre à toi à parlair insolentemente. » Ah ! peste soit du baragouineux ! Ah !

GÉRONTE, *sortant sa tête du sac.*— Ah ! je suis roué.

SCAPIN.— Ah ! je suis mort.

25 GÉRONTE.— Pourquoi diantre faut-il qu'ils frappent sur mon dos ?

SCAPIN, *lui remettant sa tête dans le sac.*— Prenez garde, voici une demi-douzaine de soldats tout ensemble. (*Il contrefait plusieurs personnes ensem-*

ble.) « Allons, tâchons à trouver ce Géronte, cherchons partout. N'épargnons point nos pas. Courons toute la ville. N'oublions aucun lieu. Visitons tout. Furetons de tous les côtés. Par où irons-nous ? Tournons par là. Non, par ici. A gauche. A droite. Nenni. Si fait. » Cachez-vous bien. « Ah ! camarades, voici son valet. Allons, coquin, il faut que tu nous enseignes où est ton maître. » Eh ! Messieurs, ne me maltraitez point. « Allons, dis-nous où il est. Parle. Hâte-toi. Expédions. Dépêche vite. Tôt. » Eh ! Messieurs, doucement. (*Géronte met doucement la tête hors du sac, et aperçoit la fourberie de Scapin.*) « Si tu ne nous fais trouver ton maître tout à l'heure, nous allons faire pleuvoir sur toi une ondée de coups de bâton. » J'aime mieux souffrir toute chose que de vous découvrir mon maître. « Nous allons t'assommer. » Faites tout ce qu'il vous plaira. « Tu as envie d'être battu. » Je ne trahirai point mon maître. « Ah ! tu en veux tâter ? Voilà... » Oh !
(*Comme il est prêt de frapper, Géronte sort du sac, et Scapin s'enfuit.*)

GÉRONTE.— Ah, infâme ! ah, traître ! ah, scélérat ! C'est ainsi que tu m'assassines.

Molière, Les Fourberies de Scapin, Acte III, scène 2.

> On peut voir ici un autre exemple d'utilisation du théâtre dans le théâtre. Comme Mascarille dans *Les Précieuses ridicules*, Scapin joue un rôle qui crée un second niveau de fiction à l'intérieur de la fiction principale.

Le Jaloux invisible

MARIN, *lui donnant un coup sur l'épaule.*
—   Bonjour.

CARIZEL.   —   Plaît-il, Monsieur ?

MARIN, *lui donnant un coup de pied au cul, et lui faisant une grande révérence.*
— Serviteur.

CARIZEL, *lui rendant la pareille.*
—   Serviteur.

MARIN, *redoublant les coups de pied et les révérences.*
—   Serviteur.

CARIZEL, *tout de même aussi.*
—   Serviteur.

MARIN.   — Ah ! pauvre homme ! pauvre homme !

CARIZEL *rit.* —   Hé, hé.

MARIN.   —   Que veux-tu dire ?

CARIZEL.   — Qui, moi ? je ne dis rien, mais je crève de rire.

5   MARIN.   — Ah malheureux mortel ! tu ris comme l'oiseau
Qui chante son encombre[1] au bord de son tombeau.

CARIZEL.   — Est-ce un reste d'accès de quelque maladie,
Ou si vous méditez sur une comédie
Dont les acteurs seront habillés comme vous ;
10   Ou bien si vous sortez de l'hôpital des foux ?

MARIN.   — Des foux ! Ô ciel ! qu'entends-je ? « ô vieillesse ennemie !
N'ai-je donc tant vécu que pour cette infamie[2] ?
Et n'ai-je consommé mes jeunes ans aussi
Dans l'art le plus fameux, que pour mourir ainsi » ?
15   *O cocq si bel ama Carizel Pongibon*
Bramto catalibos sib na cocoracase
Nob tan tibi coro me capitolidom ;
C'est-à-dire en français que vous n'êtes qu'un aze[3],
Et que vous le serez *semper in æternum*[4].
(...)

MARIN, *frappant de sa baguette sur un rideau.*
20   — Paraissez, ombre, spectre, et vous montrez à moi.

(Le rideau s'ouvre, et l'on voit le marquis qui baise les mains à Isabelle, et tous deux se tiennent toujours dans cette action, immobiles comme des statues.)

CARIZEL, *effrayé et en colère.*
           — Comment, diable ! c'est là ma femme que je vois.

MARIN.   — Par la force du charme on surprend de la sorte.

CARIZEL, *se voulant jeter sur le marquis.*
           — C'est elle, et son marquis. Le diable vous emporte,
Avecque votre charme ! Il lui baise la main.
25   Morbleu ! j'ai de bons yeux, vous m'arrêtez en vain ;
Il faut...

MARIN, *l'arrêtant.*
     —   Tout beau, tout beau, c'est le charme, vous dis-je.

CARIZEL, *toujours dans l'emportement.*
           — C'est le diable à ton cou, vieux bourreau qui m'afflige !
Mais, morbleu !...

MARIN.   —   Tenez-vous, ou vous êtes perdu.

CARIZEL. — Je voudrais de bon cœur que tu fusses pendu,
Vieux trafiquant d'honneur.

MARIN. — Comment! tu m'injuries.
Venez à mon secours, démons, lutins, furies,
Et tout ce que l'enfer a de plus étonnant,
Vengez-moi de l'affront d'un homme de néant.
(*Il frappe de sa baguette.*)

(*Au coup de baguette, le marquis et Isabelle disparaissent et sont cachés par le rideau qui se ferme. Au même temps il sort de dessous le théâtre quatre démons, qui ont chacun une vessie à la main.*)

CARIZEL, *effrayé.*
—Ah! grand roi.

MARIN, *se retirant.*
— Téméraire, apprends à me connaître.

CARIZEL. — Eh quoi! me laisser seul?

MARIN, *se retirant.*
— Enfer, venge ton maître.

(*Carizel reste seul entre les quatre démons, qui dansent à l'entour de lui un pas furieux, et lui donnent en cadence des coups de vessie, ce qu'il souffre patiemment par la peur qu'il a. L'entrée étant finie, Marin revient, et les démons disparaissent.*)

Brécourt, *Le Jaloux invisible*, Acte II, scène 3.

1. Son ennui; ses malheurs. — 2. Parodie du célèbre passage du *Cid*, de Corneille. — 3. Un âne. — 4. Toujours, pour l'éternité.

Guide d'analyse

1. Le comique de gestes. Vous relèverez les éléments qui, dans les deux extraits y concourent, et essaierez de déterminer pourquoi ils suscitent le rire.

2. Le comique de mots est aussi largement sollicité. En quoi consiste-t-il? vous rapprocherez ces exemples de ceux contenus dans les extraits des *Précieuses ridicules* et du *Parasite*.

3. Vous étudierez les procédés de **mystification** utilisés. Quelles sont les réactions des victimes?

4. Les indications scéniques sont ici en grand nombre (contrairement à l'usage du XVIIe siècle). Vous les relèverez et déterminerez les différents types de renseignements qu'elles fournissent.

Documentation, essais, recherches

1. La comédie de caractères et de mœurs.

Vous étudierez en détail *Le Misanthrope* de Molière, en relevant et analysant les passages qui donnent dans la critique des caractères et des mœurs.

2. La comédie pamphlet.

Vous comparerez les techniques utilisées par Molière dans *La Critique de L'Ecole des femmes* et dans *L'Impromptu de Versailles*.

3. Le comique de mots.

Dans de nombreux extraits donnés dans ce recueil, le comique de mots joue un rôle important. Vous relèverez et classerez en grandes catégories les exemples de cette écriture.

4. Le burlesque.

Le burlesque apparaît fréquemment dans la construction des personnages pittoresques. Vous étudierez, sous cet aspect, les types hauts en couleur qui figurent dans les extraits de ce recueil.

5. La farce.

Vous relèverez et analyserez les procédés farcesques qui viennent rompre la tension de deux comédies « sérieuses » de Molière, *Tartuffe* et *Dom Juan*.

6. Le rôle du théâtre.

Dans le passage de *L'Impromptu de Versailles* (p. 00), Molière exprime sa conception du théâtre. Vous mettrez en parallèle avec ce texte d'autres textes où il donne sa position sur ce sujet ainsi que d'autres avis d'auteurs dramatiques du XVIIe siècle.

7. La diversité d'écriture de Molière.

Boileau, portant jugement sur l'œuvre de Molière, écrit :
« Etudiez la cour et connaissez la ville ;
L'un et l'autre est toujours en modèles fertile.
C'est par là que Molière, illustrant ses écrits,
Peut-être de son art eût remporté le prix,
Si moins ami du peuple en ses doctes peintures,
Il n'eût point fait souvent grimacer ses figures,
Quitté, pour le bouffon, l'agréable et le fin,
Et sans honte à Térence allié Tabarin.
Dans ce sac ridicule où Scapin s'enveloppe,
Je ne reconnais plus l'auteur du *Misanthrope.* »
(Art poétique, chant III).
Pensez-vous qu'il faille ainsi opposer les différentes manières de Molière ?

LA VARIÉTÉ
DES REGISTRES
COMPLÉMENTAIRES

Les traits d'écriture susceptibles de créer le comique étaient déjà d'une très grande variété. La diversité de ton s'enrichit encore de tout l'apport des registres qui échappent à la tonalité propre à la comédie. Voilà qui souligne la difficulté des classements : de nombreuses œuvres théâtrales reçoivent au XVIIᵉ siècle des appellations sujettes à contestation. *Dom Juan* que Molière a appelé comédie n'est-il pas plutôt une tragi-comédie ? *L'Impromptu de Versailles* n'est-il pas, avant tout, un pamphlet ? Voilà également qui remet en cause l'idée même d'unité de ton, élément connu de la panoplie des règles classiques, bien difficile à appliquer par un auteur soucieux des réalités — la vie n'est en effet ni totalement comique, ni totalement tragique — : ainsi, dans *Tartuffe*, le rire côtoie-t-il le drame. Voilà enfin qui amène à reconsidérer les notions de théâtre régulier et de théâtre irrégulier : elles ne s'opposent pas aussi radicalement qu'on le dit en général ; si tout théâtre suit ses règles, celles-ci ne sont pas immuables et peuvent être transgressées. Les unités, si elles sont parfois respectées par Molière, peuvent aussi être violées : une certaine dispersion locale marque l'écriture des *Fourberies de Scapin*, un certain éclatement temporel celle de *Dom Juan*.

Un premier registre vient mitiger la tonalité comique : c'est le registre tragi-comique fréquent dans ce qu'il convient d'appeler la comédie sérieuse. La tension s'introduit alors, conséquence de la solidité des obstacles, des malheurs des personnages sympathiques, de l'attachement que peuvent susciter les personnages négatifs voués à l'échec, lorsque leur ridicule n'est pas suffisamment accentué, voire même totalement absent, ou de l'émergence d'une atmosphère romanesque venue d'Espagne : *Dom Juan*, dont le dénouement offre la mort du protagoniste ; *Le Fils supposé*, de Georges de Scudéry, construit autour d'une situation fertile en rebondissements et en surprises ; *Les Galanteries du duc d'Ossonne*, de Mairet, où se déchaîne la violence de la passion amoureuse, sont des exemples parmi d'autres de cette déviation du genre comique.

Le ton et la situation de la pastorale viennent parfois aussi coloniser la comédie. Il s'écrit, au XVIIᵉ siècle, un grand nombre d'œuvres théâtrales qui se déroulent dans un cadre champêtre, mettent en scène bergers et bergères et reposent sur le schéma immuable des amours contrariées : les couples ne parviennent pas à se constituer, parce que l'amour n'est pas partagé ou ne semble pas l'être. Un événement extérieur viendra apporter l'harmonie d'abord compromise. La plupart de ces pièces reçoivent l'appellation de tragi-comédies, dénomination qui leur convient bien, étant donné le mélange de tension et de comique qui les marque : le personnage mythologique du satyre fonctionne notamment de façon analogue aux personnages pittoresques. Mais il en est aussi de plus détendues dénommées comédies, parmi lesquelles *Célimène* (1633) de Rotrou ou *Carline* (1626) d'Antoine Gaillard. D'autres œuvres comiques, comme *Dom Juan*, n'introduisent qu'épisodiquement une telle atmosphère, qu'elles traitent souvent dans une perspective parodique.

Il se manifeste par ailleurs dans la comédie du XVIIᵉ siècle toute une dimension de divertissement, qui en fait un spectacle de cour. L'introduction de la danse, de la musique et du chant caractérise la comédie ballet largement cultivée par Molière sous forme d'intermède, notamment dans *La Princesse d'Elide*, *Le Sicilien ou l'Amour peintre*, *Le Bourgeois gentilhomme*, mais aussi par La Fontaine dans *Les Rieurs de Beau-Richard* (1659). Le musicien Lully qui collabora fréquemment à l'élaboration de telles œuvres joua un rôle considérable dans le développement de ce genre. Le merveilleux fait son apparition. Exploitant la veine mythologique, il prend place surtout dans la comédie ballet, mais intervient aussi par ailleurs, notamment dans *Amphitryon* (1668) de Molière et dans *Les Sosies* (1637) de Rotrou. Enfin, il s'établit parfois tout un jeu « baroque » fondé sur les apparences, les apparitions, les transformations qui donne large possibilité à l'utilisation d'une machinerie complexe, par exemple dans *Dom Juan* ou dans *Les songes des hommes éveillés* (1644) de Brosse.

On voit la diversité des formules qui conduit à repousser l'existence au XVIIᵉ siècle d'une comédie « idéale », « normalisée », dont la vision simpliste tend trop souvent à s'imposer dans les esprits.

1. Le ton tragi-comique

La comédie sérieuse évolue souvent sur une corde raide. Que la tension vienne à s'accentuer, et elle risque de naufrager dans le drame. Cette intrusion d'une dimension tragi-comique, voire tragique, on peut la constater dans le Dom Juan *(1665) de Molière, construit autour du conflit sans merci entre deux visions du monde, celle de l'ordre et celle du désordre.*

Elle est également visible dans Les Galanteries du duc d'Ossonne *(1632) de Mairet qui mettent en scène la violence de la passion amoureuse : le duc d'Ossonne, qui aime Emilie, éloigne de la ville le mari Paulin pour venir la retrouver chez elle. Il découvre alors l'amour de la jeune femme pour Camille que l'époux jaloux a tenté d'assassiner. Il prend conscience également de la passion qu'éprouve pour lui Flavie, la belle-sœur d'Emilie. Après bien des péripéties, les deux couples fêteront leur accord que ne pourra perturber le retour de Paulin rapidement mis en fuite.* **Jean Mairet** *(1604-1686) fut, avec Rotrou, l'auteur à succès des années 1625-1635. Supplanté par Corneille, il se retira rapidement de la production théâtrale. Auteur de tragédies et de tragi-comédies, il n'écrivit que cette seule comédie qui joua un grand rôle dans le développement du genre.*

Voici deux manifestations de la passion amoureuse exacerbée : tandis que Done Elvire, en présence de Sganarelle, interroge Dom Juan sur ses véritables sentiments, Emilie, des Galanteries du duc d'Ossonne, *se lamente sur l'assassinat de son amant Camille, victime de la vengeance de son mari.*

Dom Juan

DONE ELVIRE. — Me ferez-vous la grâce, Dom Juan, de vouloir bien me reconnaître ? et puis-je au moins espérer que vous daigniez tourner le visage de ce côté ?

DOM JUAN. — Madame, je vous avoue que je suis surpris, et que je ne vous attendais pas ici.

DONE ELVIRE. — Oui, je vois bien que vous ne m'y attendiez pas ; et vous êtes surpris, à la vérité, mais tout autrement que je ne l'espérais ; et la manière dont vous le paraissez me persuade pleinement ce que je refusais de croire. J'admire ma simplicité et la faiblesse de mon cœur à douter d'une trahison que tant d'apparences me confirmaient. J'ai été assez bonne, je le confesse, ou plutôt assez sotte pour me vouloir tromper moi-même, et travailler à démentir mes yeux et mon jugement. J'ai cherché des raisons pour excuser à ma tendresse le relâchement d'amitié qu'elle voyait en vous ; et je me suis forgé exprès cent sujets légitimes d'un départ

15 si précipité, pour vous justifier du crime dont ma raison vous accusait. Mes justes soupçons chaque jour avaient beau me parler : j'en rejetais la voix qui vous rendait criminel à mes yeux, et j'écoutais avec plaisir mille chimères ridicules qui vous peignaient innocent à mon cœur. Mais enfin cet abord ne me permet plus de douter, et le coup d'œil qui m'a reçue

20 m'apprend bien plus de choses que je ne voudrais en savoir. Je serai bien aise pourtant d'ouïr de votre bouche les raisons de votre départ. Parlez, Dom Juan, je vous prie, et voyons de quel air vous saurez vous justifier !

DOM JUAN. — Madame, voilà Sganarelle qui sait pourquoi je suis parti.

SGANARELLE. — Moi, Monsieur ? Je n'en sais rien, s'il vous plaît.

25 DONE ELVIRE. — Hé bien ! Sganarelle, parlez. Il n'importe de quelle bouche j'entende ces raisons.

DOM JUAN, *faisant signe d'approcher à Sganarelle*. — Allons, parle donc à Madame.

SGANARELLE. — Que voulez-vous que je dise ?

30 DONE ELVIRE. — Approchez, puisqu'on le veut ainsi, et me dites un peu les causes d'un départ si prompt.

DOM JUAN. — Tu ne répondras pas ?

SGANARELLE. — Je n'ai rien à répondre. Vous vous moquez de votre serviteur.

35 DOM JUAN. — Veux-tu répondre, te dis-je ?

SGANARELLE. — Madame...

DONE ELVIRE. — Quoi ?

SGANARELLE, *se retournant vers son maître*. — Monsieur...

DOM JUAN. — Si...

40 SGANARELLE. — Madame, les conquérants, Alexandre et les autres mondes sont causes de notre départ. Voilà, Monsieur, tout ce que je puis dire.*

DONE ELVIRE. — Vous plaît-il, Dom Juan, nous éclaircir ces beaux mystères ?

45 DOM JUAN. — Madame, à vous dire la vérité...

DONE ELVIRE. — Ah ! que vous savez mal vous défendre pour un homme de cour, et qui doit être accoutumé à ces sortes de choses ! J'ai pitié de vous voir la confusion que vous avez. Que ne vous armez-vous le front d'une noble effronterie ? Que ne me jurez-vous que vous êtes toujours dans les mêmes sentiments pour moi, que vous m'aimez toujours avec une ardeur sans égale, et que rien n'est capable de vous détacher de moi que la mort ? Que ne me dites-vous que des affaires de la dernière conséquence vous ont obligé à partir sans m'en donner avis ; qu'il faut que, malgré vous, vous demeuriez ici quelque temps, et que je n'ai qu'à m'en retourner d'où je viens, assurée que vous suivrez mes pas le plus tôt qu'il vous sera possible ; qu'il est certain que vous brûlez de me rejoindre, et qu'éloigné de moi, vous souffrez ce que souffre un corps qui est séparé de son âme ? Voilà comme il faut vous défendre, et non pas être interdit comme vous êtes.

Molière, *Dom Juan*, Acte I, scène 3.

* Sganarelle reprend des propos que Dom Juan avait tenus à la scène 2 de l'acte I. C'est là un exemple du procédé de répétition fréquemment utilisé par Molière. Ce qui est ainsi dit une seconde fois reçoit, de par la différence des circonstances ou des personnalités, un éclairage nouveau. Prononcées sur le ton du badinage par Dom Juan, ces paroles deviennent, dans la bouche de Sganarelle, à la fois dérisoires et tragiques.

Les Galanteries du duc d'Ossonne

ÉMILIE. —   Ote-moi ta présence[1] importune,
Qui dans cette contrainte accroît mon infortune.
Soupire donc, mon cœur, soupire en liberté,
Pleurez, mes tristes yeux, et perdez la clarté,
Puisque votre soleil lui-même l'a perdue,
Sans espoir que jamais elle lui soit rendue.
Clair soleil de mes jours par la mort endormi,
Dans le rouge Océan du sang qu'il a vomi ;
L'appui de la vertu, l'honneur de l'Italie,
Le phénix des amants et l'espoir d'Emilie
En la fin de Camille ont rencontré la leur.
O beau nom qui naguère enchantait ma douleur,
Et par qui maintenant ma douleur se renflamme,
Que d'effets différents tu causes dans mon âme !
Camille, il est donc vrai que tu me sois ravi,
Sans t'avoir pu défendre, ou sans t'avoir suivi ?
Et je sais toutefois que j'ai fourni l'épée,
Qui de tes jeunes ans a la trame coupé.
Cet amour que pour toi je conçus éternel,

20 Lui seul, quoiqu'innocent, t'a rendu criminel.
 De là vint la secrète et forte jalousie
 Qui d'un brutal époux troubla la fantaisie :
 De sorte que sa haine, et mon funeste amour,
 Ont travaillé tous deux à te priver du jour.
25 Ce sont de tes effets, exécrable vipère,
 Qui piques en naissant ton misérable père.
 Monstre de jalousie, à qui cent yeux au front
 Ne font pas voir encor les objets comme ils sont.
 Mais quoi ! les passions, de supplice incapables,
30 Ne se doivent punir qu'en leurs auteurs coupables.
 Poisons, flammes et fers, sus donc ! préparez-vous
 A lui sacrifier l'amante et le jaloux,
 Pour apaiser son sang qui demande le nôtre.
 Un des deux néanmoins plus coupable que l'autre,
35 Recevra le trépas comme son châtiment,
 Et l'autre comme un bien qui finit son tourment.
 Si de mes tristes jours la course est prolongée,
 Ce n'est que pour mourir satisfaite et vengée,
 Au moins si mon courage, en désespoir changé,
40 Peut être satisfait après s'être vengé.
 Car quand même aujourd'hui ce lâche, ce perfide,
 Ce plus qu'abominable et barbare homicide
 Laisserait dans mon lit tout son sang répandu
 Que me rend-il, au prix de ce que j'ai perdu ?
45 Quand au lieu d'une vie, il en aurait dix mille,
 En peut-il satisfaire à celle de Camille ?
 N'importe, vengeons-nous, quoiqu'imparfaitement,
 Et si nous le pouvons, que ce soit promptement.
 Il en mourra, le traître, et si sa diligence
50 M'empêche d'en tirer une illustre vengeance,
 Une obscure suffit à m'en faire raison,
 Ou Naples une fois manquera de poison.
 C'est alors qu'Emilie, au tombeau descendue,
 Fière d'avoir perdu celui qui l'a perdue,
55 Aux ombres de Camille ira se réunir,
 Pour commencer un bien qui ne pourra finir.
 Cependant, pour atteindre au point que je désire,
 Il faut que ma douleur au dedans je retire,
 Que mes ressentiments, pour un temps suspendus,
60 Laissent choir l'assassin dans mes pièges tendus :
 Lui qui, sur un soupçon de légère apparence,
 Entreprit notre perte avec tant d'assurance :

Mais je l'entends venir, ô Dieu ! le cœur me bat !
Je sens dedans mon âme un étrange combat.
65 L'amour, qui par sa vue irrite mon courage,
Veut que, sans différer, je lui montre ma rage.
La raison d'autre part, qui me conseille mieux,
Veut l'opportunité des saisons et des lieux.
Reçois-le maintenant en femme intéressée,
70 Pour le traiter après en amante offensée.

Mairet, *Les Galanteries du duc d'Ossonne*, Acte I, scène 4.

---

1. La belle-sœur d'Emilie, Flavie, vient de la quitter.

Le monologue, surtout lorsqu'il atteint une dimension importante, relève de la tragi-comédie et même plutôt de la tragédie. Propice aux remises en question et aux dilemmes, il est en effet beaucoup trop tendu pour convenir à la tonalité comique.

Guide d'analyse

1. Le thème de **la souffrance amoureuse** est largement développé dans les deux textes. Si sa manifestation et sa nature peuvent être rapprochées, par contre, les causes qui l'ont provoquée sont nettement différentes. On pourra relever ces convergences et ces divergences.

2. Il est d'usage, dans le théâtre du XVIIe siècle, que les jeunes femmes ou les jeunes filles fassent preuve d'une grande retenue dans l'expression de leur amour. On se demandera si cet usage est ici respecté.

3. **Un ton dramatique** domine ces deux extraits. On s'efforcera de le montrer, en se demandant si des procédés comiques viennent rompre une telle tension.

4. Ces deux textes s'inspirent du **romanesque espagnol.** Vous étudierez les traits d'écriture qui concourent à créer cette atmosphère.

2. Le ton pastoral

A plusieurs reprises, Molière a introduit des bergers et des bergères dans ses œuvres. La plupart du temps, cette intrusion du monde champêtre n'est qu'une convention : charmants, les personnages parlent un langage qui n'est que le décalque du langage de cour ; il ne faut guère chercher le réalisme dans la Pastorale comique *(1667) ou dans* Mélicerte, *«pastorale héroïque» (1666). A l'acte II de* Dom Juan *(1665), par contre, une certaine vérité se dégage de cette double intrigue que mène le protagoniste cherchant à séduire à la fois les deux paysannes Charlotte et Mathurine. Molière s'y livre, en fait, à une démystification du ton pastoral.*

*Carline, publiée en 1626, présente une situation intermédiaire ; le jeu des amours décalées est respecté : Palot et Carline s'aiment ; Nicot aime Carline et Lisette Palot. Pour détacher Carline de Palot, Nicot affirme à Lisette que Palot, endormi, l'attend. Elle le rejoint. Carline, avertie, constate ce qu'elle considère comme une infidélité de son amant. Rejeté, le berger tente de se suicider. Après les péripéties traditionnelles, Silvain, dieu rustique, aide à la conclusion de deux mariages, entre Palot et Carline d'une part, Nicot et Lisette de l'autre. La présence du satyre, haut en couleur, est assurée. Mais le langage des bergers et des bergères est un peu moins apprêté qu'à l'ordinaire. On sait fort peu de choses de l'auteur de cette pastorale, **Antoine Gaillard** (première moitié du XVIIᵉ siècle), qui a écrit une autre œuvre comique, la* Comédie *(publiée en 1634, où il se moque des écrivains de son temps.*

Dom Juan, en présence de Sganarelle, fait sa cour à Charlotte, tandis que Lisette, d'abord désespérée, apprend de Nicot que celui qu'elle aime, Palot, l'attend.

Dom Juan

DOM JUAN, *apercevant Charlotte.* — Ah ! ah ! d'où sort cette autre paysanne, Sganarelle ? As-tu rien vu de plus joli ? et ne trouves-tu pas, dis-moi, que celle-ci vaut bien l'autre ?[1]

SGANARELLE. — Assurément. Autre pièce nouvelle.

5 DOM JUAN. — D'où me vient, la belle, une rencontre si agréable ? Quoi ? dans ces lieux champêtres, parmi ces arbres et ces rochers, on trouve des personnes faites comme vous êtes ?*

CHARLOTTE. — Vous voyez, Monsieur.

DOM JUAN. — Etes-vous de ce village ?

10 CHARLOTTE. — Oui, Monsieur.

DOM JUAN. — Et vous y demeurez ?

CHARLOTTE. — Oui, Monsieur.

DOM JUAN. — Vous vous appelez ?

CHARLOTTE. — Charlotte, pour vous servir.

DOM JUAN. — Ah ! la belle personne, et que ses yeux sont pénétrants !

CHARLOTTE. — Monsieur, vous me rendez toute honteuse.

DOM JUAN. — Ah ! n'ayez point de honte d'entendre dire vos vérités. Sganarelle, qu'en dis-tu ? Peut-on rien voir de plus agréable ? Tournez-vous un peu, s'il vous plaît. Ah ! que cette taille est jolie ! Haussez un peu la tête, de grâce. Ah ! que ce visage est mignon ! Ouvrez vos yeux entièrement. Ah ! qu'ils sont beaux ! Que je voie un peu vos dents, je vous prie. Ah ! qu'elles sont amoureuses, et ces lèvres appétissantes ! Pour moi, je suis ravi, et je n'ai jamais vu une si charmante personne.

CHARLOTTE. — Monsieur, cela vous plaît à dire, et je ne sais pas si c'est pour vous railler de moi.

DOM JUAN. — Moi, me railler de vous ? Dieu m'en garde ! Je vous aime trop pour cela, et c'est du fond du cœur que je vous parle.

CHARLOTTE. — Je vous suis bien obligée, si ça est.

DOM JUAN. — Point du tout ; vous ne m'êtes point obligée de tout ce que je dis, et ce n'est qu'à votre beauté que vous en êtes redevable.

CHARLOTTE. — Monsieur, tout ça est trop bien dit pour moi, et je n'ai pas d'esprit pour vous répondre.

DOM JUAN. — Sganarelle, regarde un peu ses mains.

CHARLOTTE. — Fi ! Monsieur, elles sont noires comme je ne sais quoi.

DOM JUAN. — Ha ! que dites-vous là ? Elles sont les plus belles du monde ; souffrez que je les baise, je vous prie.

CHARLOTTE. — Monsieur, c'est trop d'honneur que vous me faites, et si j'avais su ça tantôt, je n'aurais pas manqué de les laver avec du son.

DOM JUAN. — Et dites-moi un peu, belle Charlotte, vous n'êtes pas mariée sans doute ?

CHARLOTTE. — Non, Monsieur ; mais je dois bientôt l'être avec Pierrot, le fils de la voisine Simonette.

DOM JUAN. — Quoi ? une personne comme vous serait la femme d'un simple paysan ! Non, non : c'est profaner tant de beautés, et vous n'êtes pas

45 née pour demeurer dans un village. Vous méritez sans doute une meilleure fortune, et le Ciel, qui le connaît[2] bien, m'a conduit ici tout exprès pour empêcher ce mariage, et rendre justice à vos charmes ; car enfin, belle Charlotte, je vous aime de tout mon cœur, et il ne tiendra qu'à vous que je vous arrache de ce misérable lieu, et ne vous mette dans l'état où
50 vous méritez d'être. Cet amour est bien prompt sans doute ; mais quoi ? c'est un effet, Charlotte, de votre grande beauté, et l'on vous aime autant en un quart d'heure qu'on ferait[3] une autre en six mois.

CHARLOTTE. — Aussi vrai, Monsieur, je ne sais comment faire quand vous parlez. Ce que vous me dites me fait aise, et j'aurais toutes les envies
55 du monde de vous croire ; mais on m'a toujou dit qu'il ne faut pas croire les monsieux, et que vous autres courtisans êtes des enjoleus, qui ne songez qu'à abuser les filles.

Molière, *Dom Juan*, Acte II, scène 2.

---

1. Il s'agit de l'autre paysanne, Mathurine. — 2. Qui le sait bien. — 3. Qu'on aimerait.

* Pour fournir des indications sur la mise en scène, en particulier sur le décor, l'auteur dramatique peut utiliser soit des notations extérieures au texte dit par les acteurs (c'est ce que l'on appelle les didascalies), soit mettre, comme ici, ces renseignements dans la bouche des personnages.

Carline

LISETTE. — C'est vous Palot ! dédaigneux à merveilles !
Qu'à mes langueurs étouffez vos oreilles !
Qui vous moquez de l'amour qui me point,
Et vous parlant[1] ne vous émouvez point :
5 Mais bien, Palot ! un jour en ma présence,
Les Dieux vengeurs puniront votre offense !
Las ! qu'ai-je dit ? certes je m'en repens,
Tous mes esprits demeurent en suspens ;
J'ai dedans moi le souvenir encore
10 De la beauté du berger que j'adore,
Et ne crois pas que ma fidélité
Enfin ne gagne, et qu'il ne soit dompté
Par mes travaux, et peines coutumières ;
Vous le voyez, ô célestes lumières,
15 L'une du jour, et l'autre de la nuit,
Le cruel mal qui sans cesse me nuit ;
Que me sert-il de faire ici mes plaintes ?

Amour tant plus me donne des atteintes,
Et prend plaisir à me martyriser,
Lorsque l'espoir me veut favoriser.*
(Nicot entre).
Voici Palot! certes le cœur m'en tremble!
Ce n'est pas lui, c'est Nicot si me semble :
Bonjour Nicot.

NICOT. —   Lisette, Dieu vous garde,
Il ne faut point que vous ayez égard
Au cours ingrat des saisons ja[2] passées,
Qui vos amours ont mal récompensées ;
Vous avez eu du mal par le passé,
Mais maintenant je me suis avancé
Pour vous porter une bonne nouvelle
D'un pastoureau.

LISETTE. —   Mon Dieu, dites-moi quelle.

NICOT. — Palot, celui que les Dieux comme vous
Ont publié le plus parfait de nous,
Comme de vrai, la gloire qu'on lui donne
Sur les pasteurs, est due à sa personne ;
Après avoir longtemps résisté
Est de vos yeux maintenant surmonté,
Me disait-il l'autre jour, je vous jure,
Menant tous deux nos bêtes en pâture,
Soit que Carlis[3] l'ait mécontenté,
Ou vous ayez plus qu'elle de beauté :
Cela lui fut confirmé de ma bouche,
Car sans mentir cette affaire me touche,
Et je désire, et pour vous et pour lui,
Que vous voyez s'il se peut aujourd'hui.

LISETTE. — Que dites-vous ? hélas est-il possible
Que ce berger de nature invincible,
Change de cœur ? Et veuille guerdonner[4]
La pauvre Lyse[5], et l'autre abandonner ?
Voyez, Nicot, le succès de l'affaire,
Je ne crois pas qu'il s'en veuille distraire,
Sachez-le bien avant que me porter
Au désespoir qui me fait tourmenter,
Dites le vrai, Nicot, je vous supplie,
Je ne crois pas que Carlis il oublie.

55 NICOT. — Mais vous devez croire ce que je dis,
Je sois tenu pour l'un des plus maudits
Qui soient sur terre, ou dans les Enfers même,
Si son amour envers vous n'est extrême.

LISETTE. — Est-ce de moi qu'il vous parlait alors ?

60 NICOT. — Oui, de vous, sur l'âme de mon corps.

LISETTE. — Me nomma-t-il ?

NICOT. —   Oui, je vous assure,
Il vous nomma mille fois en une heure.

LISETTE. — Eh bien, Nicot, je vous crois maintenant.

NICOT. — Allons donc voir s'il se va promenant,
65   Ou si couché dans l'herbe il se repose,
Et vous verrez les effets de la chose.

Gaillard, *Carline*, Acte I.

---

1. Et quand je vous parle. — 2. Déjà. — 3. Carline. — 4. Récompenser. — 5. Lisette.

* La pastorale, de par son sujet et de par son décor, introduit volontiers le lyrisme des plaintes et de l'amour incompris.

Guide d'analyse

1. Sous les personnages de la pastorale transparaissent souvent la sensibilité et les réactions des gens de cour. On se demandera si un tel parti est adopté dans ces deux textes ou si, au contraire, prennent place des traits de **réalisme** qui tendent à rendre compte de la situation paysanne.

2. Vous comparerez la description du **sentiment amoureux** dans ces deux extraits.

3. Charlotte, d'une part, Lisette, d'autre part, sont victimes du mensonge. Comment se manifestent les tentatives de persuasion de Dom Juan et de Nicot ? Comment s'expriment les réticences des deux jeunes filles ?

4. Si, dans *Carline,* **le comique** est totalement absent, il joue un rôle important dans *Dom Juan.* Vous l'étudierez, en insistant plus particulièrement sur les procédés parodiques.

3. La comédie ballet

Dans l'œuvre de Molière, l'intervention de la danse, de la musique, voire du chant, ne constitue, la plupart du temps, qu'un intermède qui vient interrompre le déroulement de la comédie. C'est le cas du Bourgeois gentilhomme *(1670) qui comporte un grand nombre de passages de ce genre.*

Mais il arrive aussi que le ballet accompagne la pièce d'un bout à l'autre : il en est ainsi des Rieurs de Beau-Richard *(1659), composition dansée et chantée où La Fontaine met en scène toute une collection de personnages pittoresques.* **Jean de La Fontaine** *(1621-1695) est surtout connu pour ses fables et ses contes. Il aurait écrit par ailleurs un certain nombre de pièces de théâtre dont la paternité est encore des plus sujettes à caution.*

Le passage du Bourgeois gentilhomme *qui suit représente la cérémonie turque finale destinée à anoblir Monsieur Jourdain ; de son côté, La Fontaine nous convie à assister aux facéties d'un marchand, d'un savetier, d'un notaire, d'un meunier et de son âne.*

Le Bourgeois gentilhomme

La cérémonie turque pour ennoblir le Bourgeois se fait en danse et en musique, et compose le quatrième intermède.
Le Mufti[1], quatre Dervis[2], six Turcs dansants, six Turcs musiciens, et autres joueurs d'instruments à la turque, sont les acteurs de cette cérémonie.
Le Mufti invoque Mahomet avec les douze Turcs et les quatre Dervis ; après on lui amène le Bourgeois, vêtu à la turque, sans turban et sans sabre, auquel il chante ces paroles :

LE MUFTI. — *Se ti sabir,*
Ti respondir ;
Se non sabir,
Tazir, tazir.
Mi star Mufti :
Ti qui star ti ?
Non intendir :
Tazir, tazir.

Le Mufti demande, en même langue, aux Turcs assistants de quelle religion est le Bourgeois, et ils l'assurent qu'il est mahométan. Le Mufti invoque Mahomet en langue franque, et chante les paroles qui suivent :

20 LE MUFTI.   — *Mahametta per Giourdina*
Mi pregar sera é mattina :
Voler far un Paladina
Dé Giourdina, dé Giourdina.
Dar turbanta, é dar scarcina,
25 *Con galera é brigantia,*
Per deffender Palestina,
Mahametta, etc.

Le Mufti demande aux Turcs si le Bourgeois sera ferme dans la religion mahométane, et leur chante ces paroles :

30 LE MUFTI.   — *Star bon Turca Giourdina ?*

LES TURCS. — *Hi valla.*

LE MUFTI danse et chante ces mots. — *Hu la ba ba la chou ba la ba ba la da.*

Les Turcs répondent les mêmes vers.
35 Le Mufti propose de donner le turban au Bourgeois, et chante les paroles qui suivent :

LE MUFTI.   — *Ti non star furba ?*

LES TURCS. — *No, no, no.*

LE MUFTI.   — *Non star furfanta ?*

40 LES TURCS. — *No, no, no.*

LE MUFTI.   — *Donar turbanta, donar turbanta.*

Les Turcs répètent tout ce qu'a dit le Mufti pour donner le turban au Bourgeois. Le Mufti et les Dervis se coiffent avec des turbans de cérémonie, et l'on présente au Mufti l'Alcoran[3], qui fait une seconde invocation
45 avec tout le reste des Turcs assistants ; après son invocation, il donne au Bourgeois l'épée et chante ces paroles :

LE MUFTI.   — *Ti star nobilé, é non star fabbola.*
Pigliar schiabbola.

Les Turcs répètent les mêmes vers, mettant tous le sabre à la main, et six
50 d'entre eux dansent autour du Bourgeois, auquel ils feignent de donner plusieurs coups de sabre.
Le Mufti commande aux Turcs de bâtonner le Bourgeois, et chante les paroles qui suivent :

LE MUFTI.   —   *Dara, dara,*
55 *Bastonnara, bastonnara.*

Les Turcs répètent les mêmes vers, et lui donnent plusieurs coups de bâton en cadence.

Le Mufti, après l'avoir fait bâtonner, lui dit en chantant :

LE MUFTI. —   *Non tener honta :*
                Questar star ultima affronta.

Les Turcs répètent les mêmes vers.

Le Mufti recommence une invocation et se retire après la cérémonie avec tous les Turcs, en dansant et chantant avec plusieurs instruments à la turquesque.

Molière, *Le Bourgeois gentilhomme*, Acte IV, scène 5.

———————

1. Chef religieux musulman — **2.** Religieux musulmans. — **3.** Le Coran, livre sacré des musulmans.

On notera l'abondance des indications scéniques. Relativement rares dans le théâtre du XVIIe siècle qui est surtout un théâtre texte, elles soulignent, au contraire, ici, l'importance de la mise en scène et de la gestuelle au détriment des répliques.

Les Rieurs de Beau-Richard

Quatrième entrée. LE MARCHAND, UN NOTAIRE, LE SAVETIER

LE NOTAIRE. —   Avec moi, l'on ne craint jamais
                  Les *et cœtera* de notaire ;
                  Tous mes contrats sont forts bien faits,
                  Quand l'avocat me les fait faire.

                  Il ne faut point recommencer ;
                  C'est un grand cas quand on m'affine,
                  Et Sarasin m'a fait passer
                  Un bail d'amour à Socratine[1].

                  Mieux que pas un, sans contredit,
                  Je règle une affaire importante.
                  Je signerai, ce m'a-t-on dit,
                  Le mariage de l'Infante.

Tandis que le notaire danse encore, le savetier entre sur la fin, et dit au notaire, en montrant le marchand :

LE SAVETIER. —   Je dois à Monsieur que voilà,
                   Et c'est un mot qu'il en faut faire.

LE NOTAIRE, *écrivant.*

15   — Par-devant les... *et cœtera...*
        C'est notre style de notaire.

LE MARCHAND, *au notaire.*

        — Mettez pour six setiers[2] de blé,
        Mine[3] dans muid[4].

LE NOTAIRE. —   Quelle est la somme ?

LE MARCHAND. — Quarante écus.

LE NOTAIRE. —   C'est bon marché.

20 LE SAVETIER. — C'est que Monsieur est honnête homme.

LE NOTAIRE.   — Payable quand ?

LE MARCHAND. —   A la Saint-Jean.

LE SAVETIER.   — Jean ne me plaît.

LE MARCHAND. —   Que vous importe ?
        Craignez-vous de voir un sergent
        Le lendemain à votre porte ?

25 LE SAVETIER. — A la Saint-Nicolas est bon.

LE MARCHAND. — Jean... Nicolas... rien ne m'arrête.

LE NOTAIRE.   — C'est d'hiver ?

LE SAVETIER. —   Oui.

LE NOTAIRE.   —   Signez-vous ?

LE SAVETIER. —   Non.
LE NOTAIRE.   — A déclaré... La chose est faite.
Le notaire présente l'obligation étiquetée au marchand, et dit :

LE NOTAIRE.   — Tenez.

LE MARCHAND, *donnant une pièce de quinze sous au notaire.*
        —   Tenez.

LE NOTAIRE.   —   Il ne faut rien.

30 LE MARCHAND. — Cela n'est pas juste, beau sire.

LE SAVETIER.   — Monsieur, je le paierai fort bien
        En retirant...

LE NOTAIRE.   —   C'est assez dire.
Le notaire et le savetier sortent. Le marchand reste dans sa boutique.

Cinquième entrée : UN MEUNIER ET SON ANE

LE MEUNIER.   — Celui-là ment bien par ses dents,
      Qui nous fait larrons comme diables :
      Diables sont noirs, meuniers sont blancs,
      Mais tous les deux sont misérables.

      Le meunier semble un Jodelet[5]
      Fariné d'étrange manière ;
      Le diable garde le mulet,
      Tandis qu'on baise la meunière.

      Ai-je un mulet, il est quinteux[6],
      Et je ne suis pas mieux en mule ;
      Si j'ai quelque âne, il est boiteux,
      Au lieu d'avancer, il recule.

      Celui-ci marche à pas comptés ;
      On le prendrait pour un chanoine.
      Allons donc, mon âne.

L'ANE.   —   Attendez,
      Je n'ai pas mangé mon avoine.

LE MEUNIER.   — Vous mangerez tout votre soûl.

L'ANE, *sentant une ânesse.*
      — Hin-han ! Hin-han !

LE MEUNIER.   —   Que veut-il dire ?
      Hé quoi ! mon âne, êtes-vous fou ?
      Vous brayez quand vous voulez rire !

Le marchand fait délivrer du blé au meunier : celui-ci le paie et tous les deux sortent avec l'âne porteur des sacs de blé.

La Fontaine, *Les Rieurs de Beau-Richard*, entrées 4 et 5.

---

1. Personnages réputés pour ne pas s'entendre. — 2. Ancienne mesure équivalant à 0,40 l environ. — 3. Un demi-setier. — 4. Douze setiers. — 5. Personnage comique mis au point par Scarron ; il avait le visage enfariné. — 6. Sujet à des caprices.

Le savetier, le meunier, l'âne : on retrouve les personnages des *Fables* de La Fontaine. Mais leurs caractères ne sont ici qu'esquissés : c'est la loi du genre qui privilégie la danse au détriment du texte.

Guide d'analyse

1. Les mimiques et les mouvements des personnages jouent un rôle important dans ces deux textes. Pour saisir le fonctionnement de la comédie ballet, on pourra, en s'appuyant sur les indications contenues dans les deux extraits, tenter de reconstituer le jeu scénique.

2. Le comportement des différents personnages est marqué par le comique. On se demandera si les procédés utilisés se rapprochent de ceux de **la farce.**

3. La cérémonie du *Bourgeois gentilhomme* mélange le vraisemblable et l'invraisemblable. Vous vous attacherez à le montrer.

4. Le «sabir» utilisé par les prétendus Turcs est porteur de sens. Vous essayerez de le traduire.

4. L'introduction du merveilleux

*Ce que l'on appelle le «classicisme» condamnait volontiers, au nom de la vraisemblance, le recours au merveilleux. Il se manifeste pourtant parfois dans le théâtre du XVIIᵉ siècle. La plupart du temps, les auteurs se servent de l'alibi des références mythologiques. C'est ce qui peut être constaté dans l'*Amphitryon (1668) de Molière. S'inspirant de la pièce de Plaute, il met en scène le dieu Jupiter qui, pour séduire Alcmène, a pris la forme du mari Amphitryon, tandis que le dieu Mercure a adopté les traits du valet Sosie, époux de Cléanthis, la suivante d'Alcmène. On devine les quiproquos que va provoquer la présence simultanée des personnages doubles.*

En 1637, sous le titre Les Sosies *, Jean Rotrou avait déjà repris ce sujet, fournissant ainsi à Molière une autre source d'inspiration. Auteur d'un très grand nombre de pièces, dont plusieurs comédies parmi lesquelles on peut citer* Célimène *(1633),* Les Ménechmes *(1630) et* Clarice *(1641), **Jean Rotrou** (1609-1650), d'inspiration multiforme, fut un des grands du théâtre avant que s'affirme le succès de Corneille.*

Voici la fin des deux pièces qui s'achèvent sur la révélation que fait Jupiter de sa véritable nature.

Amphitryon

JUPITER, *dans une nue.*

> — Regarde, Amphitryon, quel est ton imposteur,
> Et sous tes propres traits vois Jupiter paraître :
> A ces marques tu peux aisément le connaître ;

Et c'est assez, je crois, pour remettre ton cœur
    Dans l'état auquel il doit être,
Et rétablir chez toi la paix et la douceur.
Mon nom, qu'incessamment toute la terre adore,
Etouffe ici les bruits qui pouvaient éclater.
    Un partage avec Jupiter
    N'a rien du tout qui déshonore ;
Et sans doute il ne peut être que glorieux
De se voir le rival du souverain des dieux.
Je n'y vois pour ta flamme aucun lieu de murmure :
    Et c'est moi, dans cette aventure,
Qui, tout dieu que je suis, dois être le jaloux.
Alcmène est toute à toi, quelque soin qu'on emploie :
Et ce doit à tes feux être un objet bien doux
De voir que pour lui plaire il n'est point d'autre voie
    Que de paraître son époux,
Que Jupiter, orné de sa gloire immortelle,
Par lui-même n'a pu triompher de sa foi,
    Et que ce qu'il a reçu d'elle
N'a par son cœur ardent été donné qu'à toi.

SOSIE.   — Le seigneur Jupiter sait dorer la pilule.

JUPITER.   — Sors donc des noirs chagrins que ton cœur a soufferts.
Et rends le calme entier à l'ardeur qui te brûle :
Chez toi doit naître un fils qui, sous le nom d'Hercule,
Remplira de ses faits tout le vaste univers.
L'éclat d'une fortune en mille biens féconde
Fera connaître à tous que je suis ton support,
    Et je mettrai tout le monde
    Au point d'envier ton sort.
    Tu peux hardiment te flatter
    De ces espérances données ;
    C'est un crime que d'en douter :
    Les paroles de Jupiter
    Sont des arrêts des destinées.

(Il se perd dans les nues.)

NAUCRATÈS[1]. — Certes, je suis ravi de ces marques brillantes...

SOSIE.   — Messieurs, voulez-vous bien suivre mon sentiment ?
    Ne vous embarquez nullement
    Dans ces douceurs congratulantes :
    C'est un mauvais embarquement,

Et d'une et d'autre part, pour un tel compliment,
　　　Les phrases sont embarrassantes.
45　　Le grand dieu Jupiter nous fait beaucoup d'honneur,
　　Et sa bonté sans doute est pour nous sans seconde ;
　　　　Il nous promet l'infaillible bonheur
　　　　D'une fortune en mille biens féconde,
　　Et chez nous il doit naître un fils d'un très grand cœur :
50　　　　Tout cela va le mieux du monde ;
　　　　Mais enfin coupons aux discours,
　　Et que chacun chez soi doucement se retire.
　　　　Sur telles affaires, toujours
　　　　Le meilleur est de ne rien dire.

Molière, *Amphitryon*, Acte III, scène 10.

-----

1. Naucratès est un des capitaines d'Amphitryon.

Sous le comportement de séducteur de Jupiter, les contemporains de Molière ont vu une allusion à l'activité amoureuse de Louis XIV dont on ne comptait plus les maîtresses.

Richard Fontana et Patrice Kerbrat dans Amphitryon (Comédie française, 1983).

Les Sosies

(Le ciel s'ouvre.)
LES MÊMES[1], JUPITER, *en l'air.*

JUPITER.

— Rassemble, Amphitryon, et possède tes sens ;
    C'est bien ici le même foudre
    Dont je mis les Titans en poudre :
Mais il ne tombe pas dessus les innocents.

Roi, monarque des rois, dieu, souverain des dieux,
    Pour tirer ton esprit de peine
    Et soutenir l'honneur d'Alcmène,
De mon trône éternel je descends en ces lieux.

Je suis le suborneur de ses chastes attraits,
    Qui, sans l'emprunt de ton image,
    Quelque beau que fût mon servage,
Pour atteindre son cœur aurait manqué de traits.

D'un fils frère du tien, digne sang de mon sang,
    Sa couche vient d'être honorée,
    Qui de cette basse contrée
Un jour des immortels viendra croître le rang.

Il reçoit l'être, l'âme, et naît presque à la fois ;
    Et, pouvant tout sur la nature,
    J'en romps l'ordre en cette aventure,
Et fais faire à trois nuits l'office de neuf mois.

Deux horribles serpents étouffés par ses mains
    Ont déjà marqué sa naissance,
    Et qu'homme d'immortelle essence,
Il passe[2] en dignité le reste des humains.

Qu'Hercule soit le nom de ce jeune héros ;
    Que par lui chacun te révère ;
    Chéris le fils, aime la mère,
Et possède avec elle un paisible repos.*

(Il remonte au ciel.)

AMPHITRYON.

— Cet agréable charme est enfin dissipé.
    Qu'à bénir le charmeur chacun soit occupé ;
    Alcmène, par un sort à toute autre contraire,

Peut entre ses honneurs conter un adultère ;
Son crime la relève, il accroît son renom,
Et d'un objet mortel fait un autre Junon.

35 LE CAPITAINE   — Ce que vous avez craint vous comble d'une gloire
DES GARDES.   Dont les ans ne pourront altérer la mémoire.

PREMIER CAPITAINE. — Pour tout dire en deux mots, et vous féliciter,
                    Vous partagez des biens avecque Jupiter.

(Ils sortent tous, excepté Sosie.)

SOSIE, *seul.*   — Cet honneur, ce me semble, est un triste avantage :
40   On appelle cela lui sucrer le breuvage.
                    Pour moi j'ai, de nature, un front capricieux
                    Qui ne peut rien souffrir, et lui vînt-il des cieux.
                    Mais j'ai trop, pour mon bien, partagé l'aventure ;
                    Quelque dieu bien malin avait pris ma figure.
45   Si le bois nous manquait, les dieux en ont eu soin ;
                    Ils nous en ont chargés, et plus que de besoin.

Rotrou, *Les Sosies*, Acte V, scène 6.

1. C'est-à-dire Amphitryon, Sosie, la suivante d'Alcmène et les capitaines. — 2. Il surpasse.

* Contrairement aux autres personnages, Jupiter ne s'exprime pas ici en alexandrins. L'abandon de ce type de vers revêt, dans le théâtre du XVIIᵉ siècle, une signification précise. Il indique l'introduction d'une tonalité particulière qui tranche avec la tonalité générale. Dans ce passage, c'est l'atmosphère épique qui est ainsi créée.

Guide d'analyse

1. Le merveilleux : comment se manifeste-t-il dans les deux pièces ? Vous comparerez en particulier les deux discours de Jupiter.

2. Les références à la naissance et aux exploits d'Hercule reçoivent des développements différents selon la pièce considérée. Vous mettrez en parallèle les passages où il en est question. Pourquoi Molière a-t-il passé plus rapidement sur cet élément ?

3. A la pompe divine s'opposent les plaisanteries de Sosie. Vous étudierez le comique ainsi créé. Quel effet ce contraste produit-il ?

4. Vous analyserez **la technique de versification** utilisée dans les deux extraits.

5. Le recours à la machine

L'émergence du merveilleux implique fréquemment l'utilisation de la machinerie de théâtre, pour susciter apparitions, transformations ou envolées dans les airs : c'est ainsi que, dans les deux extraits précédents, Jupiter parlait du haut d'un nuage. Le recours à la machine, qui se manifeste dans la plupart des spectacles de cour et qui rompt avec la simplicité et la sobriété classiques, se développe également dans d'autres types de comédies : dans Dom Juan *(1665), cette technique est sollicitée pour amener le dénouement qui voit le séducteur englouti par les flammes.*

Les Songes des hommes éveillés (1644) l'utilisent à de multiples reprises dans le cadre d'un scénario très pittoresque : Clarimond a recueilli Lisidor, atteint de neurasthénie, à la suite d'un naufrage durant lequel disparut sa fiancée Isabelle. Il essaie de le guérir de sa mélancolie en le faisant assister à des mystifications soigneusement agencées à l'occasion de l'état de demi-sommeil des victimes ainsi incapables de démêler la réalité du rêve. Isabelle, providentiellement sauvée, surgira au dénouement et, déguisée en cavalier, jouera Lisidor en une ultime supercherie. On ne connaît pratiquement rien de la vie de l'auteur de cette pièce, **Brosse** *(première partie du XVIIe siècle), qui aimait, semble-t-il, ces titres soulignant le jeu des apparences et de la réalité, puisqu'il écrivit deux autres œuvres de dénomination aussi paradoxale,* Les Innocents coupables *(1643) et* L'Aveugle clairvoyant *(1648).*

D'un côté, la machine fonctionne impitoyablement, entraînant Dom Juan dans la mort ; de l'autre, elle est utilisée par Clarimond, Lisidor et Lucidan pour mystifier Cléonte qui s'est assoupi, alors que ses compagnons jouaient aux cartes.

Dom Juan

Scène 4 : DOM JUAN, SGANARELLE

SGANARELLE. — Monsieur, quel diable de style prenez-vous là ?[1] Ceci est bien pis que le reste, et je vous aimerais bien mieux encore comme vous étiez auparavant. J'espérais toujours de votre salut ; mais c'est maintenant que j'en désespère ; et je crois que le Ciel, qui vous a souffert jusques ici, ne pourra souffrir du tout cette dernière horreur.

DOM JUAN. — Va, va, le Ciel n'est pas si exact que tu penses ; et si toutes les fois que les hommes...

SGANARELLE.[2] — Ah ! Monsieur, c'est le Ciel qui vous parle, et c'est un avis qu'il vous donne.

10 DOM JUAN. — Si le ciel me donne un avis, il faut qu'il parle un peu plus clairement, s'il veut que je l'entende.

Scène 5 : DOM JUAN, UN SPECTRE, *en femme voilée,* SGANARELLE.

LE SPECTRE. — Dom Juan n'a plus qu'un moment à pouvoir profiter de la miséricorde du Ciel ; et s'il ne se repent ici, sa perte est résolue.

SGANARELLE. — Entendez-vous, Monsieur ?

15 DOM JUAN. — Qui ose tenir ces paroles ? Je crois connaître cette voix.

SGANARELLE. — Ah ! Monsieur, c'est un spectre : je le reconnais au marcher.

DOM JUAN. — Spectre, fantôme, ou diable, je veux voir ce que c'est.

Le Spectre change de figure et représente le Temps avec sa faux à la main.

20 SGANARELLE. — Ô Ciel ! voyez-vous, Monsieur, ce changement de figure ?

DOM JUAN. — Non, non, rien n'est capable de m'imprimer de la terreur, et je veux éprouver avec mon épée si c'est un corps ou un esprit.

Le Spectre s'envole dans le temps que Dom Juan le veut frapper.

25 SGANARELLE. — Ah ! Monsieur, rendez-vous à tant de preuves, et jetez-vous vite dans le repentir.

DOM JUAN. — Non, non, il ne sera pas dit, quoi qu'il arrive, que je sois capable de me repentir. Allons, suis-moi.

Scène 6 : LA STATUE, DOM JUAN, SGANARELLE

LA STATUE. — Arrêtez, Dom Juan : vous m'avez hier donné parole de venir manger avec moi.

30 DOM JUAN. — Oui. Où faut-il aller ?

LA STATUE. — Donnez-moi la main.

DOM JUAN. — La voilà.

LA STATUE. — Dom Juan, l'endurcissement au péché traîne une mort funeste, et les grâces du Ciel que l'on renvoie ouvrent un chemin à sa 35 foudre.

DOM JUAN. — Ô Ciel ! que sens-je ? Un feu invisible me brûle, je n'en puis plus et tout mon corps devient... *

SGANARELLE. — Ah ! mes gages, mes gages ! voilà par sa mort un chacun

satisfait : Ciel offensé, lois violées, filles séduites, familles déshonorées,
parents outragés, femmes mises à mal, maris poussés à bout, tout le
monde est content. Il n'y a que moi seul de malheureux. Mes gages, mes
gages, mes gages !

Molière, Dom Juan, Acte V, scènes 4, 5 et 6.

---

1. Dom Juan s'est mis à jouer le jeu hypocrite de la conversion. — **2.** Une variante précise : « *apercevant le spectre* ».

> * Une variante du texte précise : « *(Le tonnerre tombe avec un grand bruit et de
> grands éclairs sur Dom Juan ; la terre s'ouvre et l'abîme ; et il sort de grands feux de
> l'endroit où il est tombé.)* ».
>
> Pour imiter le bruit de la foudre, on tirait, en coulisse, des coups de pistolet à blanc,
> tandis que des flammes s'élevaient, que l'on faisait jaillir en brûlant de la résine.

MACHINE INVENTÉE PAR D'HERMAND

Croquis d'une machine pour
un divertissement de Cour.

Les Songes des hommes éveillés

Scène 4 : CLARIMOND, ARISTON[1], *tenant un flambeau, et éclairant*
Clarimond, LUCIDAN, LISIDOR, CLÉONTE.

Clarimond entre dans la chambre où dort Cléonte, et attache des cordons aux piliers de son lit (...).

CLARIMOND, *hors de la chambre.*
     — Au feu, tout est perdu.

CLÉONTE, *éveillé.*
     —   Ciel, que viens-je d'entendre !

CLARIMOND. — Partout ce n'est que feu, que fumée, et que cendre,
     Et l'avide fureur de cet embrasement,
     Dévore le logis jusqu'à son fondement,
5   Au secours, mes amis (...).

CLÉONTE. —   Ecoutons toutefois.
     Tout est calme céans[2], sans doute je rêvois,
     Et le feu qu'en mon cœur je nourris pour Clorise[3],
     A causé dedans moi cette étrange méprise ;
(On lève le lit sur lequel Cléonte s'était couché.)
     Je sais que le sommeil dans ces impressions,
10   Se règle à nos humeurs, et suit nos passions,
     Qu'il s'accommode au temps, aux personnes, aux âges,
     Qu'un vieillard songera des eaux et des naufrages,
     Un jeune homme des jeux, et que les vrais Amants
     Se figurent des feux, et des embrasements :
15   Cléonte, assurément ce n'est qu'un mauvais songe,
     Ton oreille en ce point a commis un mensonge,
     Ce tumulte, ce feu, ces cris, et ton transport
     En un mot la frayeur vient de son faux rapport,
     Ton jugement fondé dessus un vain fantôme,
20   S'est formé des écueils, et des monts d'un atome,
     Ces Messieurs qui jouaient ont levé le tapis,
     Voyant mes yeux fermés, et mes sens assoupis,
     Leur divertissement a mieux aimé se rompre,
     Que de m'importuner ou que de m'interrompre,
25   Je reprends donc sans craindre, et sans plus m'étonner
     Le paisible repos qu'ils m'ont voulu donner.
(Il cherche son lit).

> Ne pouvant m'égarer en ce petit espace,
> Je pense que mon lit s'est ôté de sa place.

LISIDOR. — Le succès est meilleur que je ne l'eusse dit.
(Clarimond, Lisidor et Lucidan écoutent à la porte).

30 CLÉONTE. — Je demeure confus, ou plutôt interdit,
> Serait-ce bien l'effet d'une autre rêverie ?
> Je trouve bien la table, et la tapisserie,
> Tout l'autre ameublement se présente à mes mains,
> Mais au regard du lit, mes efforts restent vains,
35 > Je voudrais pour beaucoup avoir de la lumière.

LISIDOR, *à Clarimond.*
> — L'adresse d'inventer vous est particulière.

CLÉONTE. — Cherchons obstinément et par haut, et par bas,
> Je veux quoi qu'il en soit m'éclaircir sur ce cas,
> A-t-on jamais parlé d'une chose pareille,
40 > Suis-je encore endormi, rêvé-je ou si je veille ?
> Quel charme malheureux dessus moi s'accomplit,
> Je suis debout, je marche, et me sens sous mon lit.

LISIDOR. — Malgré mes déplaisirs, je suis contraint de rire.

LUCIDAN. — Ecoutons.

CLÉONTE. — Je ne sais que faire ni que dire.

45 CLARIMOND. — Voici tout le meilleur.
(On a baissé le lit peu à peu dessus lui).

CLÉONTE. — Ah, que je suis troublé,
> L'effroi s'est dans mon cœur tout à coup redoublé,
> Mon lit fond sur ma tête, et son faix[4] qui m'accable
> Me rendra dedans peu la mort inévitable,
> Si pour me conserver au nombre des humains,
50 > Je ne prête à mes pieds le secours de mes mains.

CLARIMOND. — Recommençons nos cris, au feu, tout se consomme.

CLÉONTE. — Vit-on jamais sur terre un plus malheureux homme ?

LUCIDAN. — Tout brûle, tout périt.

CLÉONTE. — O Ciel, c'est tout de bon.

CLARIMOND. — Le grand corps de logis n'est plus qu'un gros charbon,
55 > Le feu s'est élevé jusqu'au dernier étage.

CLÉONTE. — Le frisson me saisit, et je suis tout à nage.

CLARIMOND. — Je languis.

LISIDOR. — Je me meurs.

LUCIDAN. — Je suis demi-brûlé.

CLÉONTE. — Est-il dedans ce monde un lieu plus désolé ?

Brosse, *Les Songes des hommes éveillés*, Acte II, scène 4.

---

1. Le page de Clarimond. — **2.** Dans ce logis. — **3.** Sœur de Clarimond dont Cléante et Lisidor sont amoureux. — **4.** Son poids.

Le rêve occupe une grande place dans le théâtre du XVIIᵉ siècle. Mais son utilisation est ici originale. Alors que, généralement, il revêt un aspect prémonitoire, laisse présager des événements (voir notamment le rêve d'*Athalie*, acte II, scène 5, Racine), il donne naissance dans la pièce de Brosse à tout un jeu des apparences et de la réalité.

Guide d'analyse

1. La machine joue un rôle important dans ces deux extraits. Vous relèverez les différents effets que provoque son utilisation.

2. Dans les deux textes, tragique et comique se mêlent intimement. En étudiant cette cohabitation, on pourra ainsi souligner **l'ambiguïté de la comédie** au XVIIᵉ siècle.

3. *Les Songes des hommes éveillés* reposent, pour une bonne part, sur la confusion entre apparences et réalité. Vous le montrerez, en indiquant quelle est la place du rêve et du sommeil dans ce mélange.

4. Vous analyserez **le merveilleux** dans le dénouement de *Dom Juan*, en précisant ce que représente, à votre avis, la statue du commandeur.

Documentation, essais, recherches

1. Le ton tragi-comique.
Vous chercherez dans les tragédies du XVIIe siècle des situations où éclate le mal d'amour et les comparerez à ce que vivent Elvire de *Dom Juan* et Emilie des *Galanteries du duc d'Ossonne* (p. 117).

2. Des obstacles redoutables.
Tartuffe, Dom Juan et *Le Misanthrope* de Molière sont en fait des tragi-comédies plutôt que des comédies. Montrez que cette tonalité est, en grande partie, la conséquence de la solidité des obstacles.

3. Le ton pastoral.
Le schéma pastoral repose sur les amours décalées. Vous relèverez et analyserez les scénarios des pièces de ce recueil qui observent une telle organisation.

4. La peinture des paysans.
La peinture réaliste des paysans est rare dans la comédie du XVIIe siècle qui s'appuie sur une culture essentiellement urbaine. L'acte II de *Dom Juan*, qui se déroule à la campagne, fait-il apparaître un souci de recherche de la vérité dans la description des personnages?

5. La comédie-ballet.
Outre *Le Bourgeois gentilhomme,* Molière a écrit un grand nombre de comédies-ballets. Vous lirez, en vous attachant plus particulièrement à cet aspect, *Le Sicilien* et *Le Malade imaginaire.*

6. Vraisemblance et merveilleux.
Vous étudierez *Dom Juan* et *Amphitryon*, en vous demandant si Molière a su concilier les exigences «classiques» de la vraisemblance et les prestiges du merveilleux.

7. Le recours à la machine.
Vous étudierez le fonctionnement de la machinerie de théâtre dans *Amphitryon*.

8. Mélange des genres et dispersion.
Vous commenterez et discuterez cette analyse que fait Jacques Scherer de la comédie moliéresque et plus particulièrement de *Dom Juan :* «Souvent ses pièces sont conçues comme un simple défilé de personnages, qui n'apparaissent qu'au moment où l'auteur a besoin d'eux (...). Cette conception de la pièce s'affiche (...) dans *Dom Juan,* où, devant Sganarelle et Dom Juan qui sont presque toujours en scène, défilent rapidement de nombreux personnages à rôles très courts, dont chacun fait, si l'on nous permet l'expression, une sorte de «numéro» : épisode comique si c'est Monsieur Dimanche, pathétique si c'est Dom Louis, tragique si c'est la statue du Commandeur.» (*La Dramaturgie classique en France.)*

CONCLUSION

Constance et diversité.

La comédie de 1610 à 1673 — l'œuvre de Molière n'échappe pas à cette règle — est marquée du double sceau de la constance et de la diversité. Les pièces de cette époque, pour la plupart, ont en commun d'exploiter le schéma de la comédie d'intrigue à l'italienne qui repose sur la lutte du jeune premier et de la jeune première pour faire triompher leur amour en dépit des obstacles suscités par leurs parents et par leurs rivaux. Elles se rejoignent également dans leur écriture dramatique qui donne une place essentielle au langage dont la mise en scène ne constitue qu'une illustration : elles prennent ainsi place plutôt dans la tradition du théâtre texte que dans celle du théâtre spectacle. Mais mis à part ces deux points de convergence certes importants, que de nuances s'introduisent, que de différences se font jour ! Les extraits qui ont été donnés dans cet ouvrage en témoignent éloquemment : du comique le plus gros des *Fourberies de Scapin* ou du *Jaloux invisible* au pathétique tragi-comique, voire tragique, avec *Dom Juan* ou *Les Galanteries du duc d'Ossonne*, la gamme des registres est vaste. Du vieillard amoureux de *L'Avare* ou de *Crispin médecin* à la femme érudite des *Femmes savantes* ou des *Visionnaires*, la fresque des personnages pittoresques est fournie. De l'attirance pour l'argent, dans *L'Avare* ou *La Dame d'intrigue* à l'engouement pour la noblesse, dans *Le Bourgeois gentilhomme* ou *Les Vendanges de Suresnes*, les motivations sociales sont multiples.

Pièce écrite et pièce jouée.

Si la comédie du XVIIᵉ siècle accorde une grande importance au texte, elle n'en dépend pas moins des conditions de la représentation. Les thèmes développés, les effets mis en œuvre répondent au goût d'un public qui recherchait essentiellement dans le spectacle un divertissement, un moyen d'évasion. Le recours à la gestuelle donne satisfaction à de telles préoccupations. Ainsi s'établit tout un jeu de correspondances entre le comique né des mots et des situations et son illustration par un ensemble de mimiques, de gestes, de mouvements. C'est également ce désir des spectateurs qui explique l'abandon relativement fréquent par les auteurs comiques des règles du classicisme. Le lieu éclate dans *Dom Juan*, permettant ainsi d'avoir recours aux prestiges des changements de décor. Le merveilleux, qui met en cause la notion de vraisemblance, s'introduit dans *Amphitryon* ou *Les Sosies*. L'attrait de la machine, source d'illusion, est exploité dans *Dom Juan* ou *Les Songes des hommes éveillés*.

La dimension sociale.

Si la comédie est avant tout un divertissement, elle n'exclut pas pour autant la dimension sociale. La représentation est déjà en elle-même un fait social. La présence du public constitue, par ailleurs, comme une caisse de résonance qui rend plus nécessaire le respect des bienséances : il conviendra, par exemple, aux auteurs de ne pas trop bafouer l'autorité paternelle ou la religion. Mais le contenu même des comédies revêt souvent une signification sociale. La peinture des mœurs y est fréquente. Les motivations individuelles dépendent largement de l'organisation et du fonctionnement de la société. Les personnages pittoresques sont, la plupart du temps, des représentants de professions décriées ou ridicules et leur utilisation théâtrale varie en fonction de l'évolution sociale. Ainsi la comédie au XVIIe siècle apparaît-elle comme profondément enracinée dans la réalité de son temps et non comme cette fiction intemporelle dont on qualifie trop souvent l'œuvre de Molière.

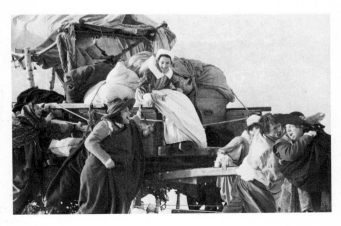

Molière, comédien ambulant, dans le film d'Ariane Mnouchkine (*Molière*, 1978).

Essai

Sujet.

Dans Situation II, Qu'est-ce que la littérature?, *Jean-Paul Sartre écrit à propos de la comédie classique : « C'est l'élite tout entière qui opère, au nom de sa morale, les nettoyages et les purges nécessaires à sa santé ; ce n'est jamais d'un point de vue extérieur à la classe dirigeante qu'on moque les marquis ridicules ou les plaideurs ou les précieuses ; il s'agit toujours de ces originaux inassimilables par une société policée et qui vivent en marge de la vie collective. » Ce jugement convient-il au théâtre de Molière ?*

Dans ce texte, Jean-Paul Sartre porte un jugement politique sur les dramaturges de la période classique et, en particulier, sur Molière. Selon lui, ce seraient des partisans de la classe dirigeante constamment attachés à dénoncer tous ceux qui refuseraient l'ordre établi, les normes imposées. Cette soumission à l'idéologie dominante est-elle aussi totale que l'affirme Jean-Paul Sartre ?

1. La dénonciation de l'anormalité.

Si l'on examine la signification politique du théâtre de Molière, on constate de fait que sont sanctionnés les personnages qui refusent les normes sociales.

a) Ceux qui tentent d'échapper à leur milieu, de ne pas tenir compte de leur origine sont condamnés au nom de l'inné (voir Monsieur Jourdain du *Bourgeois gentilhomme* et ses efforts pour acquérir les manières des nobles).

b) Ceux qui refusent les règles morales sont éliminés (voir le sort réservé à l'athée Dom Juan).

c) Ceux qui se distinguent par leur excès, qui, souvent passionnés, se livrent tout entiers à une impulsion, sont raillés, même si cette impulsion est, en elle-même, positive (voir la sincérité excessive d'Alceste du *Misanthrope*).

2. Une position nuancée.

Malgré l'évidence de ces attaques contre les marginaux, la position de Molière n'apparaît pas aussi tranchée que le dit Jean-Paul Sartre.

a) En fait, Molière établit un constat, plus qu'il n'émet un jugement. Dans *Dom Juan*, il ne fait par exemple que réserver au libertin le sort que lui réservait la société de l'époque.

b) Le ridicule porte sur les excès et non sur les actes eux-mêmes. Les femmes savantes sont ridiculisées non pour leur aspiration au savoir, mais pour le manque de modération dont elles font preuve.

c) Molière se pose souvent en défenseur des opprimés. Il condamne notamment, dans la plupart de ses comédies, les abus de pouvoir des parents qui s'opposent au bonheur de leurs enfants.

3. Une diversité de motivations.

Il est par ailleurs excessif d'apprécier le théâtre de Molière uniquement en fonction de déterminations politiques. Bien d'autres motivations animent le grand homme de théâtre, notamment :

a) Les motivations morales.
b) Les motivations philosophiques.
c) Les motivations de la raison, du bon sens.

Marquée par la complexité, l'œuvre de Molière, œuvre théâtrale, doit être essentiellement jugée dans une perspective dramaturgique.

Un personnage en marge de l'idéologie dominante : Dom Juan (Gérard Desarthe, Odéon, 1980).

LECTURES MODERNES

I. Le comique vers 1630

Gustave Attinger s'interroge sur le réveil de l'esprit comique dans les années 1630. Il voit deux genres cohabiter durant cette période : le romanesque espagnol cultivé par Corneille, et la farce pratiquée par les farceurs français et italiens.

En somme, si l'on veut chercher dans la littérature de cette époque le réveil de l'esprit comique, on le trouvera chez le père de la tragédie classique ! Oui, Corneille pourrait sans exagération être appelé le restaurateur de la comédie. On lit dans les manuels qu'il a été le créateur d'une comédie à peine comique ; cette définition n'est pas heureuse : on pourrait l'interpréter comme un affinement du comique, alors qu'il s'agit bien plutôt d'un retour au comique, du moins à l'ironie, qui faisait singulièrement défaut dans les comédies contemporaines. Il faut regretter sincèrement pour la littérature comique de France que Corneille se soit tourné si vite vers la tragédie. Avec *L'Illusion comique* (1636), il a créé une féerie française dont on n'avait pas vu d'exemple aussi parfait depuis *Le Jeu de la Feuillée*. A cinq siècles de distance, ces deux chefs-d'œuvre offrent la promesse d'un lyrisme, plus fruste et mystérieux, plus shakespearien dans le jeu d'Adam le Bossu, plus mesuré et ironique, plus orné chez Corneille. L'œuvre de Corneille est tout empreinte de ce goût d'ornement si propre à son siècle. Ces perspectives d'arcades, de jardins, de places, démesurément amplifiées par les sompteux décors de Torelli, Corneille les souligne ci et là de vers délicieux. Le réel dont il s'empare, conversations, portraits, silhouettes galantes, il le transpose à sa guise, et, devant les hôtels parisiens, c'est une féerie imaginaire qu'il déploie :

« Paris semble à mes yeux un pays de romans,
J'y croyais ce matin voir une île enchantée. » (*Le Menteur*, II, 5.).

Le romanesque espagnol et la décoration italienne rencontraient en ce milieu et à cette époque un merveilleux terrain d'entente. On s'étonne de voir touner court — pour la seconde fois ! — ces tentatives.

Où donc trouvera-t-on le vrai comique, dans cette première moitié du XVIIᵉ siècle ? Chez les farceurs toujours, et aussi chez leurs émules d'Italie dont les séjours en France se multiplient, dès la seconde moitié du XVIᵉ siècle. Et voilà la raison pour laquelle la comédie, art de carrefour, n'est plus reconnue comme un genre, pendant un certain nombre d'années. Certes on admire les acteurs, on rit de leur jeu, de leurs facéties, mais les lettrés méprisent leur répertoire. Et pourtant Martainville de Rouen, Tabarin au Pont-Neuf, Gros-Guillaume, Gaultier-Garguille et Turlupin à l'Hôtel de Bourgogne, ont plus fait pour la défense des traditions comiques en France, que toute la production littéraire de cent années.

Gustave Attinger,
L'Esprit de la commedia dell'arte dans le théâtre français,
Paris, librairie théâtrale, 1950.

II. La variété des procédés comiques dans l'œuvre de Molière

De son côté, René Jasinski dresse le répertoire des procédés comiques utilisés par Molière, en insistant sur l'ampleur d'une gamme créatrice d'euphorie qui va du comique de mots à la satire.

Molière excelle à créer ce climat d'euphorie joyeuse, tant dans une réalité proche transposée à point, que dans les lazzi à l'italienne ou le merveilleux des comédies-ballets. On voit le contresens lorsqu'est jugée trop lâche la structure de ses comédies. Outre qu'il sied mal, comme nous l'avons souligné, de croire encore à l'excellence de la pièce « bien faite » selon l'idéal de Sarcey, Molière se donne à bon escient de légitimes libertés. Serrant davantage l'action dans les œuvres plus soutenues, il use avec plus de désinvolture des péripéties et jeux de scène lorsque la fantaisie du sujet commande une plus large part de gratuité. Faut-il sourciller lorsque les personnages surviennent juste à temps dans un monde où tout s'arrange pour le mieux ? De même, on a condamné les « dénouements postiches ». Mais le *deus ex machina* ne se justifie-t-il pas dans les « pièces à machines » comme *Dom Juan* et

Amphitryon? Le « fait du prince » ne prend-il pas dans *Tartuffe* une valeur d'allégorie sinon d'avertissement ? Faut-il condamner les « histoires de corsaires », avec les reconnaissances qui s'ensuivent, plus que les histoires d'amnésiques à la mode aujourd'hui ? Agréablement romanesques selon le goût de l'époque, ne contribuaient-elles pas au contentement général avec un imprévu qui ne surprenait pas trop ? Soyons bon public : acceptons le jeu.

Cette gaieté se renforce par le comique de satire beaucoup moins anodin. En fait la moquerie procède, selon nous, du même principe d'euphorie : mais au lieu que le comique de bonne humeur se laisse aller à son propre contentement, elle cherche la vive satisfaction de constater et souligner les infériorités des autres, donc notre supériorité sur eux. Elle nous donne, si l'on peut dire, une euphorie relative par la conscience — ou l'illusion — de notre propre avantage. Dès lors, mieux s'effectue la dépréciation, plus les victimes sont rabaissées vite, sûrement, avec toutes circonstances aggravantes, plus le rire a chance d'être efficacement déclenché. Encore faut-il que la victime ne soit pas trop irrémédiablement défaite, sans quoi nous inclinerions à la pitié ; que soit sauvegardé le climat réel ou fictif de jeu, pour qu'elle puisse paraître s'y associer, fût-ce en « riant jaune », sous peine de se donner le ridicule supplémentaire du mauvais joueur ; enfin, spécialement au théâtre, qu'une entente s'établisse avec les spectateurs — la dérision requiert plus ou moins un public, ou à une échelle plus humble une galerie —, pour que ceux-ci, dûment alertés et se sentant suffisamment à l'abri, s'associent au jeu en se tenant du bon côté, celui des « rieurs ». Alceste le constate à ses dépens : « Les rieurs sont pour vous, Madame, c'est tout dire ».

René Jasinski,
Molière, Paris, Hatier, Connaissance des lettres, 1969.

III. L'efficacité dramaturgique de Molière

En prenant comme exemple Dom Juan, *Louis Jouvet souligne l'efficacité dramaturgique de Molière, en l'expliquant par la nécessité interne qui habitait l'auteur et par l'authenticité de l'élaboration qui permet de saisir la signification profonde du mythe.*

Une pièce, une pièce véritable, n'est rien d'autre d'abord qu'une nécessité interne pour celui qui l'écrit, une impérieuse délivrance pour celui qui est soudain hanté par une idée ou un sentiment dramatique.

C'est de cette délivrance qu'il est question ici. De quelle délivrance est fait *Dom Juan*? Quelle libération nous apporte la pièce? Que nous délivre-t-elle à nous, spectateurs ou comédiens?

Au lieu d'une réponse, c'est une question qu'elle nous apporte, une question qu'elle nous pose.

A un thème détrempé jusqu'ici dans le comique et le burlesque, à une histoire truffée de lazzis et de plaisanteries douteuses sur un sujet scabreux, Molière donne soudain une authenticité profonde et un sens véritable. Saisi par la terrible angoisse que ces pitreries esquivent ou qu'elles veulent couvrir, rejetant la farce et les feintes, Molière formule le sujet qu'elles cachent; à l'égal de Pascal ou de Bossuet, il pose aux spectateurs l'interrogation véritable d'un moraliste véritable. C'est l'angoisse de l'homme vis-à-vis de son destin: c'est de salut et de damnation qu'il est question dans le *Dom Juan* de Molière.

Certes, sa pièce accuse de nombreuses sources: elle témoigne d'emprunts épars; elle vient à un moment que les biographes de Molière considèrent comme très particulier par l'interdiction dont *Tartuffe* vient d'être l'objet, huit mois auparavant.

Mais cela n'explique en rien l'originalité vigoureuse, l'extraordinaire qualité de l'œuvre. Avec des matériaux déjà utilisés et appauvris, avec des personnages fanés, Molière, dans la généalogie de l'art dramatique, donne naissance à un héros nouveau. Dans ce merveilleux XVII siècle, Dom Juan, comme Don Quichotte, naît en Espagne presque à la même heure, et l'un comme l'autre n'a aucun antécédent dans la littérature. C'est Molière qui a donné à Dom Juan sa réputation universelle.

C'est par lui, par Molière, que ce héros occupe, depuis toujours, les esprits, et c'est pourquoi il nous occupe aujourd'hui. Ce qui inquiète et passionne l'humanité, c'est la naissance et le passage des dieux, des saints et des héros.

Louis Jouvet, Témoignages sur le théâtre,
Paris, Flammarion, 1951.

IV. Une comédie des faux-semblants

Abordant Le Misanthrope, *Paul Guérin dégage l'ambiguïté de l'écriture théâtrale de Molière qui, dans cette pièce, privilégie les faux-semblants, en faisant éclater les structures comiques traditionnelles.*

L'incertitude ne règne pas uniquement du fait de l'énigme du désir de Célimène, mais surtout de ce que les discours et gestes qui s'échangent ne sont référés qu'à l'ordre de l'amour, le dernier domaine (avec celui du Beau littéraire) que l'Etat n'ait pas retiré à la discussion noble. Seulement voilà: les règles qui s'en proposent et qui s'y affrontent sont bien impuissantes à contrôler la production et la circulation de l'amour et de ses signes : il n'en faut pas plus pour que ce monde soit dès lors soumis et livré au règne des semblants d'amitié et d'amour.

Plutôt que de s'appuyer sur un « comique de mots », *Le Misanthrope* fait problème des signes dans leur prolifération : sonnets, chansons, billets amoureux, messages illisibles, oubliés, lettre à l'adresse et au sens indécidables, billets détournés, paroles rapportées, avalanche enfin de billets, le tout surplombé du commandement royal, lui seul sans ambiguïté et sans défaut : son apparition suffit.

La force de ces signes n'est pas de tromper : c'est d'être le seul espace qui reste au cœur (à tous les sens de ce mot) pour se manifester ; c'est aussi de faire mouche à tout coup, mais jamais comme on le voudrait : de qui les reçoit, il font retour sur qui les a lancés sans avoir épargné qui en faisait l'objet.

Le partage du vrai et du faux, du semblant et de la réalité n'est plus ici le ressort et le terme de la comédie : il en est l'objet même, parce qu'il est impossible :

ALCESTE
La raison, pour mon bien, veut que je me retire :
Je n'ai point sur ma langue un assez grand empire.

Alceste a raison.

Avant que l'Académie n'assure la maîtrise du pouvoir sur la langue, le discours des salons, laissé comme champ substitutif à un pouvoir aboli, impose à ses tenants une neutralisation mutuelle qui les écarte d'autant plus sûrement des choses de l'Etat.

Vraiment, cette pièce, pour avoir tendu les ressorts de la comédie à une limite qui l'expose à n'en être plus une, pour avoir noué — à la veille des psychologies — les premiers rapports de l'amour à l'oubli de l'Etat, méritait bien de devenir, mais aussi de demeurer, un *classique*.

Paul Guérin, *D'un cœur à l'autre*, dans *Alceste et l'absolutisme,*
Essais de dramaturgie sur Le Misanthrope,
Paris, Galilée, 1977.

V. Le père et le roi

Jacques Scherer établit un parallèle intéressant entre l'obstacle du père que l'on trouve plutôt dans la comédie, et l'obstacle du roi fréquent dans la tragi-comédie et la tragédie.

Sous la forme la plus banale, cet obstacle se rencontre dans les intrigues des nombreuses pièces qui montrent des parents s'opposant au mariage de leurs enfants, ou de l'un de leurs enfants. Des

sujets de ce genre se trouvent partout dans la littérature dramatique du XVIIᵉ siècle, depuis les chefs-d'œuvre les plus connus
jusqu'aux pièces les plus obscures, comme la *Célinde* (1629) de
Baro, la *Marguerite de France* (1641) de Gilbert ou le *Tyridate*
(1649) de Boyer. On les rencontre dans d'innombrables comédies,
en particulier bon nombre de celles de Molière, dans la tragi-
comédie avec *Sylvie* de Mairet ou *Laure persécutée* de Rotrou, dans
la tragédie avec *Osman* de Tristan ou *Théodore* de Corneille, pour
ne citer que quelques exemples. Il importe assez peu, dans tous les
cas, que le père soit un roi, comme dans *Sylvie*, ou un simple particulier, comme dans *L'Avare*, puisqu'il fait montre, dans l'une et
l'autre situation, de la même autorité. Les fonctions de père et de
roi peuvent être réunies dans la même personne, ou, comme dans
Pyrame et Thisbé de Théophile, confiés à deux personnages dis-
tincts qui s'opposent tous deux au mariage des héros. Il serait aussi
facile qu'inutile de multiplier les exemples de ce genre.

Ce qui est plus important, c'est de distinguer les raisons pour
lesquelles le père s'oppose au bonheur de son enfant. Ce peut être
parce que, roi ou père, il convoite lui-même la jeune fille que le
jeune homme veut épouser : au père de *L'Avare* et au roi de
Pyrame on peut ajouter le roi de *Chryséide et Arimand* de Mairet,
rival de son prisonnier Arimand pour l'amour de la belle
Chryséide, ou le *Mithridate* de Racine qui aime mieux épouser
Monime que la donner à son fils Xipharès. Mais l'opposition au
mariage peut venir de raisons plus élevées, de raisons objectives,
dont l'intéressé, éventuellement, reconnaîtra la force et auxquelles
il se soumettra même en l'absence d'un père ou d'un roi. De sorte
que l'obstacle constitué par le père peut s'estomper jusqu'à dispa-
raître, en laissant comme substitut des idées qui sont proprement
paternelles, mais que les enfants partagent. Ainsi les pères, quand
ils sont riches, ne veulent pas que leurs filles épousent des hommes
sans fortune : Silène veut que sa fille Arténice épouse le riche
Lucidas et non le pauvre Alcidor dans les *Bergeries* de Racan,
Ménandre veut marier sa fille Silvanire au riche Théante, non au
pauvre Aglante, dans *Silvanire* de Mairet ; dans Corneille,
Géronte de l'*Illusion comique* veut que sa fille Isabelle épouse, non
Clindor, qui est pauvre, mais Adraste, qui est riche, — exacte-
ment pour la même raison qui fait, dans *Polyeucte*, que Félix préfère Polyeucte à Sévère comme époux de Pauline. Et bien entendu,
dans tous les cas, c'est le héros pauvre que la jeune fille aime. Mais
dans *La Veuve* de Corneille, la jeune veuve Clarice ne dépend que
d'elle-même ; elle sait pourtant que la pauvreté de Philiste lui
interdit de l'épouser. Dans la *Suivante*, Corneille a attribué la pauvreté, non au héros. mais à l'héroïne, Amarante ; et cette pauvreté
joue le rôle d'un père en empêchant cette suivante d'épouser celui
qu'elle aime. [...]

Les différences de rang social ont la même fonction que les différences de fortune. La distance infinie qui, selon les idées du XVIIᵉ siècle, sépare une fille de roi d'un « sujet », si glorieux qu'il soit, est un obstacle plus infranchissable encore que celui de l'argent. Dans *Alcionée* de Du Ryer, la princesse Lydie est soutenue par le roi son père dans l'horreur que lui inspire une mésalliance avec le héros Alcionée, qu'elle aime ; mais l'Infante du *Cid* n'a besoin d'aucun père pour renoncer à Rodrigue.

Il en est de même des différences de religion. Les héros d'*Athénaïs* de Mairet, plus tragiquement ceux de *Polyeucte* et de *Théodore* de Corneille, sont l'un chrétien, l'autre païen. Ils sont aussi séparés que peuvent l'être des ennemis. Les différences de nationalité entre des héros appartenant à deux pays en guerre sont en effet du même ordre : c'est cet obstacle qui fait le drame des fiancés ou des époux d'*Horace* de Corneille, ou des amants de *Timocrate* de Thomas Corneille.

Jacques Scherer, *La Dramaturgie classique en France*,
Paris, Nizet, 1950.

VI. Le père et le vieillard

Dans le même ordre d'idées, Marcel Gutwirth analyse l'obstacle du père qui, rejoignant le personnage pittoresque du vieillard, pose le problème du conflit des générations.

Le comique du vieillard est d'un type parfaitement transparent. Le Temps en a fait un objet de dérision : laid, maniaque, peureux, débile. Sa protestation aggrave la caricature : ne pouvant échapper à son destin, il le nie — il se croit beau, sage, imposant, considéré. Autant de leviers pour qui veut le faire gambader à sa fantaisie !

Molière ne s'attarde pas à un schéma qu'il saura toujours remettre en place au moment voulu (le Géronte cavalièrement rossé par Sganarelle dans *Le Médecin malgré lui*, Sganarelle en « mari forcé » vantant son physique avantageux à l'âge de cinquante-deux ans). Il va habiller de chair ce squelette, le mettre *en situation* : pour ce faire il lui adjoint une fille èt il l'appelle Gorgibus, une femme et le baptise Sganarelle.

C'est le couple du père et du fils, du passé et de l'avenir, qui accule le père de comédie à la caricature. Accompagné de la femme, — épouse ou fille — il s'humanise ; c'est l'homme qui n'est plus jeune plutôt que le vieux à évincer. Le fils, lui, ne peut entrer en possession de son bien, ne devient homme qu'*à la mort* de son père. Montaigne déplorait déjà cette indigne dépendance qui obligeait les fils à souhaiter le trépas de leur père obstiné à usurper leur place au soleil. Le vieillard de comédie, à la fois parcimonieux et autoritaire, ne peut que se faire éliminer par un mariage qu'il a combattu et qui le désarme. Le fils victorieux est père à son tour (du moins en puissance) : le Père est symboliquement déchu et annulé.

Tout autre, nous le verrons, est le conflit qui oppose le père à sa fille : en tout cas il n'y est pas question d'élimination pure et simple, d'opposition directe et brutale. La déshumanisation du père ne s'inscrit pas au programme de ce conflit, — elle ne peut résulter que d'un choix de sa part, et le comique se nuance par conséquent de psychologie. Quant au comique conjugal, il institue du moins une égalité d'âge, il suppose une tension sexuelle qui bannit également l'image du fantoche dévirilisé. De fait, le comique moliéresque part d'un excédent de virilité, d'une volonté de puissance en possession de tous ses moyens plutôt que du geste dérisoire et de la voix grêle du classique vieillard, déjà balayé sans qu'il s'en doute.

Marcel Gutwirth,
Molière ou l'invention comique,
la métamorphose des thèmes, la création des types,
Paris, Minard, 1966.

BIBLIOGRAPHIE

1. Les éditions.

Les éditions des comédies de Molière sont en très grand nombre. Faire l'inventaire des éditions séparées serait beaucoup trop long. Les éditions des œuvres complètes ne font pas non plus défaut. Parmi ces très nombreuses intégrales, on peut citer notamment, pour la richesse des commentaires et des notes :

— Georges Couton, *Molière, œuvres complètes,* Paris, Gallimard, Bibliothèque de la Pléiade, 1971.
— Eugène Despois, *Œuvres de Molière,* Paris, Hachette, 1873-1895.
— Georges Mongrédien, *Œuvres complètes de Molière,* Paris, Garnier, 1964.
— Jacques Scherer, *Théâtre complet de Molière,* Paris, Club du livre, 1964.

On peut mentionner aussi, pour sa commodité :
— Molière, *Œuvres complètes,* Paris, Editions du seuil, Collection L'Intégrale, 1968.

Par contre, les édition modernes des comédies des autres auteurs du XVIIe siècle, à l'exception de celles de Corneille et de Racine, sont d'une grande rareté. Sans entrer dans les détails, on signalera le recueil de Jacques Scherer, *Théâtre du XVIIe siècle,* Paris, Gallimard, Bibliothèque de la Pléiade, 1975.

2. Etudes biographiques.

Les études consacrées à la vie et à l'œuvre de Molière sont innombrables. Par contre, mis à part évidemment Corneille et Racine, il n'en va pas de même de ses contemporains. Pour ce qui est de ces autres auteurs comiques, il n'est pas question de fournir ici des titres d'ouvrages qui, dans le cas de Corneille et de Racine, n'envisagent qu'accessoirement les comédies et qui, dans les autres cas, sont d'un accès souvent difficile. On se contentera donc d'indiquer ces quelques études globales portant sur Molière :

— Jacques Audiberti, *Molière dramaturge,* Paris, L'arche, 1954.
— René Bray, *Molière homme de théâtre,* Paris, Mercure de France, 1954.
— John Cairncross, *Molière bourgeois et libertin,* Paris, Nizet, 1963.
— Maurice Descotes, *Molière et sa fortune littéraire,* Saint-Médard-en-Jalles, Ducros, 1970.
— René Jasinki, *Molière,* Paris, Hatier, Connaissance des lettres, 1969.
— Gustave Michaut, *La Jeunesse de Molière,* Paris, Hachette, 1922 ; *Les Débuts de Molière,* Paris, Hachette, 1923 ; *Les Luttes de Molière,* Paris, Hachette, 1925.
— Léon Thoorens, *Le Dossier Molière,* Verviers, Bibliothèque Marabout Universitaire, 1964.

3. Etudes particulières de comédies.

Pour les mêmes raisons, on se bornera à signaler ces quelques études particulières de comédies de Molière :

— Robert Garapon, *Le Dernier Molière, Des Fourberies de Scapin au Malade imaginaire,* Paris, S.E.D.E.S., 1977.
— Jacques Guicharnaud, *Molière, une aventure théâtrale, Tartuffe, Dom Juan, Le Misanthrope,* Paris, Gallimard, 1963.
— Robert Horville, *Dom Juan de Molière, une dramaturgie de rupture*, Paris, Larousse, collection « Thèmes et textes », 1972.
— Robert Horville, *Le Tartuffe de Molière,* Paris, Hachette, collection Poche critique, 1973.
— Robert Horville, *Le Misanthrope,* Paris, Hatier, collection « Profil d'une œuvre », 1981.
— Gustave Reynier, *Les femmes savantes de Molière,* Paris, Mellottée, collection Les chefs-d'œuvre de la littérature expliquée.
— Jacques Scherer, *Structures de Tartuffe,* Paris, S.E.D.E.S., 1966.
— Jacques Scherer, *Sur le Dom Juan de Molière,* Paris, S.E.D.E.S., 1967.

4. Le contexte politique et culturel.

Parmi les ouvrages qui permettent de situer les œuvres dans leur contexte, on peut relever :

— Antoine Adam, *Histoire de la littérature française au XVIIe siècle,* Paris, Domat-Monchrestien, 1948-1956.
— Gustave Attinger, *L'Esprit de la commedia dell'arte dans le théâtre français,* Paris, Librairie théâtrale, 1950.
— Paul Bénichou, *Morales du grand siècle,* Paris, Gallimard, 1948.
— René Bray, *La Formation de la doctrine classique en France,* Paris, Nizet, 1951.
— Robert Garapon, *La Fantaisie verbale et le comique dans le théâtre français du Moyen Age jusqu'à la fin du XVIIe siècle,* Paris, Colin, 1957.
— Hubert Méthivier, *Le Siècle de Louis XIV,* Paris, P.U.F., 1966.
— Jacques Scherer, *La dramaturgie classique en France,* Paris, Nizet, 1950.
— Pierre Voltz, *La comédie,* Paris, Armand Colin, Collection U, 1966.

(Sauf indication contraire, les dates retenues sont les dates présumées de création des pièces.)

Date	Molière (1622-1673)		Autres auteurs		
	Extraits	Comédies citées	Extraits	Auteurs	Comédies citées
1611 *(publi-cation)*			*Le Fidèle*	Larivey (1540-1619)	Larivey, *La Constance,* *Les Tromperies*
1626 *(publi-cation)*			*Carline*	Gaillard (première moitié du XVIIᵉ s.)	
1629 **1630**					Corneille, *Mélite ;* Mareschal, *L'inconstance* *d'Hylas ;* Rotrou, *Les Ménechmes*
1631					Corneille, *La Veuve*
1632			*Les Galanteries* *du duc* *d'Ossonne*	Mairet (1604-1686)	
1633			*Les Vendanges* *de Suresnes*	Du Ryer (1605-1658)	Rotrou, *Célimène*
1634			*Le Fils supposé*	Scudéry (1601-1667)	Gaillard, *Comédie* (publ.)
1635			*L'Illusion* *comique ;* *Le Railleur*	Corneille *(1606-1684)* Mareschal (1603?-1648?)	
1636			*Alizon*	Discret (première partie du XVIIᵉ s.)	
1637			*Les Visionnaires* *Les Sosies*	Desmarets de Saint-Sorlin (1595-1676) Rotrou (1609-1650)	Mareschal, *Le Fanfaron*
1640					Gillet de la Tessonnerie, *Francion*
1641					Rotrou, *Clarice*
1643					Corneille, *Le Menteur ;*

| Date | Molière (1622-1673) | | Autres auteurs | | |
	Extraits	Comédies citées	Extraits	Auteurs	Comédies citées
1644			Les Songes des hommes éveillés	Brosse (première partie du XVIIe s.)	
1645					Scarron, Jodelet duelliste
1646 (achèvement)			Le Pédant joué	Cyrano de Bergerac (1619-1655)	
1647			Dom Japhet d'Arménie	Scarron (1610-1660)	Gillet de la Tessonnerie, Le Déniaisé
1648					Brosse, L'Aveugle clairvoyant
1649					Boisrobert, La Jalouse d'elle-même
1650-1658		Le Médecin volant ; La Jalousie du Barbouillé			
1653			La Belle plaideuse ; Le Parasite	Boisrobert (1592-1662) Tristan L'Hermite (1601-1655)	
1654					Boisrobert, L'inconnue ; Quinault, L'Amant indiscret
1655					Quinault, La Comédie sans comédie
1656	Le Dépit amoureux		Le Campagnard	Gillet de la Tessonnerie (1620-1660)	
1657					Scarron, La Fausse apparence
1659	Les Précieuses ridicules		Les Rieurs de Beau-Richard	La Fontaine (1621-1695)	Brécourt, La Feinte mort de Jodelet

Date	Molière (1622-1673)		Autres auteurs		
	Extraits	Comédies citées	Extraits	Auteurs	Comédies citées
1660		Sganarelle			
1661					Chappuzeau, L'Académie des femmes
1662	L'Ecole des femmes		La Dame d'intrigue	Chappuzeau (1625-1701)	
1663	L'Impromptu de Versailles	La Critique de L'Ecole des femmes	La Vengeance des marquis	Donneau de Visé (1638-1710)	Boursault, Le Portrait du peintre; Donneau de Visé, Zélinde
1664	Tartuffe	Le Mariage forcé; La Princesse d'Elide	Le Médecin voïant	Boursault (1638-1701)	
1665	L'Amour médecin; Dom Juan		La Mère coquette	Quinault (1635-1688)	
1666	Le Misanthrope	Mélicerte	Le Jaloux invisible	Brécourt (1638-1685)	
1667		Pastorale comique; Le Sicilien			Donneau de Visé, La Veuve à la mode
1668	L'Avare; Amphitryon		Les Plaideurs	Racine (1639-1699)	
1669	Monsieur de Pourceaugnac				Hauteroche, Le Souper mal apprêté
1670	Le Bourgeois gentilhomme		Crispin médecin	Hauteroche (1630-1707)	
1671	Les Fourberies de Scapin	La comtesse d'Escarbagnas			
1672	Les Femmes savantes				
1673	Le Malade imaginaire				
1674					Brécourt, L'Ombre de Molière; Hauteroche, Crispin musicien
1679					Donneau de Visé, La Devineresse

TABLE DES MATIÈRES

RÉFÉRENCES PHOTOGRAPHIQUES :
Archives NATHAN : 2, 6, 8, 36, 137 ; BERNAND : 13, 31, 34, 61, 132, 145 ; LAURENT : 143.
Couverture : Archives NATHAN.
Recherches iconographiques : B. de Beaupuis ; Maquette : A. Josset.

IMPRIMERIE AUBIN, 86240 LIGUGÉ
D.L., août 1983. — Édit., Y 33380 I (F.c.VII). — Impr., L 15889
Imprimé en France